CONSPIRATIONS

JONATHAN VANKIN
et JOHN WHALEN

[signature manuscrite] Jean Marin 15 octobre 2007

CONSPIRATIONS

Traduit de l'anglais (États-Unis)
par Diniz Galhos

COLLECTION
DOCUMENTS

le
cherche
midi

Titre original du livre dont est tiré le présent ouvrage :
The 80 Greatest Conspiracies of All Time.

© Jonathan Vankin, John Whalen, 1995, 1996, 1998, 2004.
© le cherche midi, 2007, pcur la traduction française.
23, rue du Cherche-Midi, 75006 Paris.

Vous pouvez consulter notre catalogue général et l'annonce
de nos prochaines parutions sur notre site Internet :
cherche-midi.com

Sommaire

Mae Brussell :
la reine de la conspiration

Le 23 avril 1981, des agents du FBI se rendirent au domicile de Mae Brussell, dans le village de Carmel, sur la côte californienne, afin de prendre connaissance de ce qu'elle savait sur un complot ayant visé à assassiner le président Ronald Reagan.

Ce fut la première et la dernière confrontation directe entre Brussell et le FBI, qui à cette époque détenait un dossier la concernant depuis plus de treize ans.

Mae Brussell mourut sept ans plus tard d'un cancer, à l'âge de soixante-six ans, au terme de dix-sept ans d'émissions de radio sur des stations associatives de la baie de San Francisco, émissions à l'origine d'un nouveau type d'enquête politique qui, de nos jours, n'a pas encore trouvé sa place dans les médias de masse.

Brussell n'a pas inventé la théorie de la conspiration. Cette obsession taraudait l'humanité depuis très longtemps déjà. Mais elle fut la pionnière de la théorie selon laquelle une cabale fasciste, directement issue du Troisième Reich, était la principale source de pouvoir aux États-Unis, et, plus largement, dans le monde. Ce qui rendait Brussell plus fascinante, ou plus menaçante (selon les points de vue), que la majorité de la faune conspirationniste était le fait que ses théories n'étaient pas issues de son imagination fertile, mais de ses lectures quotidiennes. En 1964, alors qu'elle n'était encore qu'une paisible femme au foyer, elle fit l'acquisition du rapport en vingt-six volumes de la Commission Warren au sujet de l'assassinat du président Kennedy, dont elle passa des années à référencer et recouper les éléments.

À sa mort, sa bibliothèque personnelle comptait environ 6 000 ouvrages et près de vingt ans de coupures de presse issues de quotidiens (elle en lisait sept par jour) et de magazines. Au cours de sa vie, elle enregistra des centaines d'émissions radiophoniques et de cassettes audio, et publia un certain nombre d'articles sur des sujets aussi divers que l'implication de la CIA dans l'enlèvement de Patricia Hearst[1], le massacre de Jonestown[2], le

---

1. Fille du magnat de la presse William Randolph Hearst, elle fut kidnappée par un groupuscule d'extrême gauche, le Symbionese Liberation Army (Armée de libération symbionaise), dont elle rallia la cause. *(Note du traducteur.)*

2. « Suicide » collectif plus ou moins volontaire des 913 adeptes du Temple de peuple (People's Temple), secte dirigée par le révérend Jim James *(N.d.T.)*

Watergate, le satanisme, pour n'en citer que quelques-uns.

Elle suscita à travers le monde nombre d'émules qui, lorsqu'elle mourut, acquirent la certitude que les « services de renseignements » étaient responsables du décès de leur chef spirituel.

Les légendes qui courent au sujet des conflits entre Mae Brussell et les services secrets sont légion. Les preuves écrites, en revanche, sont loin d'être aussi nombreuses. Le FBI conservait un dossier à son nom, mais l'essentiel de son contenu avait pour origine le fait que Brussell ne s'était pas contentée d'exprimer ses opinions sur les ondes.

« Plus de la moitié du dossier [144 pages] n'aurait jamais existé, écrivit un chercheur qui le consulta, si elle s'était simplement retenue d'envoyer des lettres aux présidents, d'appeler les différents services de renseignements, ou de rendre visite à Maureen Reagan. » Le reste du dossier des services secrets concernait principalement l'amitié qui unissait le père de Brussell, feu le rabbin Edgar Magnin, et Richard Nixon, que Brussell ne se priva pas d'attaquer à plusieurs reprises.

Le fait que la plus paranoïaque des agences de renseignements des États-Unis, le FBI, création de John Edgar Hoover, se soit intéressée à elle est la preuve irréfutable que le pouvoir considérait Mae Brussell comme un sujet digne d'être fliqué, ou tout du moins surveillé.

L'entretien de 1981 est la seule rencontre du FBI et de Brussell mentionnée dans les trente-huit pages issues de son dossier et rendues publiques grâce au décret sur la liberté d'information (Freedom of Information Act, dit « FOIA »). Quand bien même il y en aurait eu d'autres, peut-être plus informelles, elles ne sont pas mentionnées. Le FBI souligne que seize pages du dossier, comprenant quatre documents, n'ont pas été divulguées car « une écrasante majorité des informations contenues dans ces quatre documents concernent d'autres individus ».

Étant donné les fréquentations de Mae Brussell, les termes « autres individus » recouvrent un grand nombre de possibilités, aussi diverses que variées. Ces informations peuvent aussi bien concerner son propre père, figure charismatique de la communauté judaïque de Los Angeles, que Bruce Roberts, auteur supposé du Dossier Gemstone[1]. On ne peut que spéculer sur ce que ces pages confidentielles contiennent. Peut-être rien.

Les pages rendues publiques font référence à quelques *pretext inquiries* concernant Brussell : il s'agit d'enquêtes menées par un agent ou un informateur prétendant être quelqu'un d'autre. Une

---

1. Lettres « dévoilant » une vaste conspiration ourdie par la Mafia (dont le chef serait Aristote Onassis) pour contrôler les États-Unis et le monde. *(N.d.T.)*

pratique assez déloyale dont le FBI usa à l'égard de Brussell – plus précisément, à l'égard de son père – dès 1966, cinq ans avant qu'elle ne débute son émission radiophonique hebdomadaire entièrement consacrée aux conspirations.

On trouve également un mémo télex apparemment très vague, simplement intitulé « Assassinat du président John Fitzgerald Kennedy, Informations diverses », et daté du 17 septembre 1967, bien qu'il fasse référence à des incidents datant des deux premiers mois de l'année précédente. Ce mémo provient du bureau du FBI de San Francisco et a été communiqué au directeur (Hoover), de même qu'aux bureaux de Dallas et de La Nouvelle-Orléans.

« Les fichiers de San Francisco révèlent que le 20/01/66, le détective privé [censuré] (Carmel, Californie) a signalé qu'un de ses clients avait rapporté que May *[sic]* Magnin Brussell avait exprimé sa crainte de voir les États-Unis devenir un pays fasciste, et qu'un coup d'État fasciste y advienne dans les deux années à venir. A signalé qu'elle est la fille du rabbin Edgar F. Magnin, de la synagogue de Wilshire Boulevard, Los Angeles [censuré] a signalé qu'elle avait récemment déménagé dans la vallée de Carmel avec ses enfants en bas âge, et que la rumeur veut qu'elle soit "de gauche" et qu'elle ne soit pas en bons termes avec son père. »

Le télex mentionne par la suite la *« pretext inquiry »* menée au lieu de résidence du rabbin Magnin, un extrait de compte bancaire de Brussell (qui ne semble révéler que le nom et la profession de son époux) et un relevé des registres du shérif du comté de Monterey concernant Brussell, et estampillé « négatif ». Le mémo fait référence en outre à une lettre adressée par Mae à un éditeur, et un document dans lequel elle « exprime son opinion selon laquelle Lee Harvey Oswald n'était pas un communiste ».

Avant de s'achever sur cette conclusion : « Aucune autre action ne sera menée par San Francisco. »

Contrairement à ce que laissait entendre son titre vague, le télex traite d'un sujet bien précis. Le document qui le suit immédiatement dans le dossier Brussell, un mémo expédié par « Le Directeur, FBI » au bureau de Dallas, apporte un éclairage pour le moins intéressant sur les causes de l'intérêt soudain suscité par Mme Brussell, jusque-là encore inconnue des services de renseignements.

« Du fait que Mme Brussell a été en contact avec James *[sic]* Garrison à La Nouvelle-Orléans et a publiquement commenté l'enquête, Dallas et San Francisco sont chargées d'exposer immédiatement les informations reçues à son sujet dans un mémorandum à en-tête en vue d'une communication... Cette tâche doit être effectuée immédiatement. »

La curiosité tout sauf désintéressée du FBI quant à l'enquête du *district attorney*[1] Garrison sur l'assassinat de JFK a été très largement et très consciencieusement documentée. En échangeant des informations avec Garrison, Mae tomba dans les filets du FBI. Mais ce n'était certainement pas la seule raison, même s'il est difficile de déterminer les autres motifs du FBI à la lecture des documents rendus publics.

Une note jointe à la réponse du « directeur » signale sans donner plus de détails que, le 17 septembre 1967, un vol de la Delta Airlines reliant Dallas à San Francisco fit l'objet d'une menace d'attentat à la bombe, et que « Mme May *[sic]* Magnin Brussell qui s'apprêtait à prendre ce vol pour San Francisco déclara publiquement à Love Field, Dallas, qu'elle menait une enquête sur l'assassinat de Kennedy et s'était entretenue avec le *district attorney* Jim Garrison, La Nouvelle-Orléans, durant trois jours ».

Cette note semble sous-entendre que Mae aurait déclaré être la cible de la menace d'attentat à la bombe. L'intérêt du FBI en cette fin d'année 1967 dut être réveillé par l'incident de la Delta

---

1. Magistrat fédéral, équivalent en France d'un procureur de la République. *(N.d.T.)*

Airlines, et d'autant plus stimulé lorsque le Bureau prit connaissance du fait qu'elle était entrée en contact avec Garrison.

Aucun autre élément concernant la menace d'attentat à la bombe et la possibilité d'une implication de Mae dans cet incident ne figure dans les trente-huit pages rendues publiques. Le document suivant dans le dossier de Brussell est un mémo. À cette époque, Mae Brussell s'était déjà lancée dans sa carrière publique de rénovatrice de la théorie du complot aux États-Unis. Elle projetait alors d'éditer une publication du nom de *Conspiracy Newsletter (Le Bulletin de la conspiration)*. Un mémorandum d'une page, écrit sur une lettre à entête du gouvernement américain, prouve que le FBI s'intéressait à nouveau à Mae, avec ses méthodes habituelles.

Selon le mémo du bureau de San Francisco : « Le 19/12/72, [censuré] a téléphoné à [censuré] sous couvert d'une fausse identité, se faisant passer pour un étudiant désirant se procurer un exemplaire de sa nouvelle publication. [censuré] l'informa que la date de parution de la *Conspiracy Newsletter* avait été reportée *sine die*. Il l'informa en outre que ni lui, ni Mae Brussell, éditrice de la publication, ne bénéficiaient en ce moment du temps nécessaire pour y travailler.

Au vu des éléments exposés ci-dessus, cette affaire est close ; cependant, San Francisco restera à l'affût d'une éventuelle publication de la *Conspiracy Newsletter*. »

Il est extrêmement rassurant d'apprendre que la plus grande institution chargée de faire respecter la loi sur le territoire américain est restée « à l'affût » de menaces aussi dangereuses pour la sécurité nationale que la « publication de la *Conspiracy Newsletter* ».

Cette page unique est intitulée « Réponse à la lettre du Bureau destinée à San Francisco, 25/08/72 ». Or la lettre en question ne se trouve pas dans le dossier. L'explication la plus innocente voudrait que le nom de Mae Brussell n'ait pas été cité dans cette lettre, ce qui, étant donné l'état d'esprit aussi étroit que routinier des agents du FBI chargés de l'application de la FOIA, aurait légitimé de ne pas l'inclure dans son dossier.

Les trois premiers paragraphes du mémo écrit en « Réponse à la lettre du Bureau » ont été caviardés : il s'agit du plus long passage censuré dans l'ensemble des pages extraites du dossier de Mae Brussell et rendues publiques par le FBI. Ce caviardage, associé à l'absence de la « lettre du Bureau », ne fait qu'épaissir le voile de mystère qui plane sur les raisons de l'intérêt du FBI pour la *Conspiracy Newsletter*.

Le document suivant, daté du 6 novembre 1975, est tout aussi intrigant, bien que pour des raisons très différentes. À cette époque, Mae était reconnue comme une personnalité « alternative », dirions-nous, de la radio. Chaque semaine, elle s'emparait des ondes publiques pour dispenser des monologues, si compliqués qu'ils en devenaient parfois incompréhensibles, sur son sujet de prédilection : les conspirations.

Mae informa un avocat (qui à son tour communiqua cette information au FBI) qu'elle avait reçu la lettre suivante (elle semble avoir été signée, mais le nom a été censuré) :

« Mae, tu t'enfermes dans un cercle vicieux mental. Charles Manson a déjà passé vingt-huit ans en prison et toutes ces histoires délirantes que tu racontes ne sont que le reflet de ce que les infos et les livres ont dressé ton cerveau, ton esprit et ton âme à raconter.

Tu attires l'attention. On dirait que tu espères que la Famille exauce ton vœu de mort. »

Un autre document, sans lien direct avec cet événement et datant de cinq ans plus tard, y fait cependant référence en affirmant tout net que « durant les mois d'octobre et de novembre de l'année 1975, elle reçut plusieurs lettres de menace de [censuré], membres de la famille Manson ».

Il est vrai que les ouailles de Manson multipliaient les menaces de mort au même rythme qu'un homme-sandwich distribuant des tracts dans la rue. Mais elles en exécutaient également un bon nombre. Les enfants de Charles étaient sans doute les auteurs des menaces les plus crédibles. Pourtant, selon le document du FBI, « l'assistant *U. S. attorney* F. Steele Langford a conclu que le contenu de la lettre ne relevait pas de la menace ».

En conséquence de ce sage jugement, le FBI ordonna à ce titre « la cessation de l'enquête ». Cependant, dans un élan aussi décisif qu'audacieux, le FBI conseilla à Mae de « prendre un nouveau numéro de téléphone sur liste rouge et de contacter immédiatement le FBI en cas de réception de nouveaux messages de ce type ».

Peut-être étaient-ils trop occupés à attendre la publication de la *Conspiracy Newsletter* pour s'inquiéter de menaces de mort provenant de la famille Manson. Le fait est que l'inaction du FBI put sembler plus que singulière à la mort de Mae en 1988, quelques mois seulement après qu'elle eut annulé son émission de radio (qui avait alors presque vingt ans d'existence) suite à une nouvelle menace de mort. (Bien que son cancer fût décrit par son médecin comme tout à fait banal, les adeptes de Mae ont avancé avec acharnement que ses ennemis disposaient de la technologie nécessaire pour lui inoculer délibérément la terrible maladie, sans parler de leur envie de la faire taire.) À cette époque, son cheval de bataille était les cultes sataniques dans l'armée américaine. Elle soutenait également la thèse, souvent mentionnée dans les documents du FBI, que la secte de Manson était liée à l'un des services de renseignements américains ou à une opération militaire.

Le document suivant compile la correspondance de Mae avec le directeur du FBI Clarence Kelley, au cours de l'année 1976, motivée par la certitude qu'elle avait conçue que le cadavre enterré dans la tombe de Howard Hughes n'était pas celui d'Howard Hughes[1]. (« Rappelez-vous que vous avez été engagé par Richard Nixon, qui bafoua les lois qu'on avait placées entre ses mains. Vous a-t-il mis à ce poste pour que vous dissimuliez les faits, comme pour le Watergate, ou allez-vous finir par nommer ces agents, vos employés, qui ont ÉTÉ CHARGÉS DE L'IDENTIFICATION DU CORPS ? ») Enfin, les quatorze dernières pages traitent exclusivement de l'assertion de Mae, datant d'avril 1981, selon laquelle John Hinckley (celui-là même qui tenta d'assassiner Ronald Reagan) aurait placé sa maison sous surveillance, déclaration qui motiva la confrontation du FBI et de Mae.

Ce témoignage, qu'elle communiqua en bonne et due forme aux autorités moins d'un mois après la tentative d'assassinat du président Reagan, et selon lequel Hinckley lui avait rendu visite au

---

1. À propos de ce personnage, voir notre chapitre « Howard Hughes : l'ermite milliardaire ».

mois de janvier de cette même année, suscita un intérêt bien compréhensible. Tout commença véritablement lorsque Rudy Giuliani, *U. S. attorney* (et qui devint plus tard maire de New York), produisit la déposition de Mae à l'attention du FBI. Le 23 avril, des agents du Bureau se rendirent à son domicile pour un entretien.

Elle leur raconta que, le 13 janvier, elle avait remarqué une berline blanche garée de l'autre côté de la rue, en face de sa maison. Elle conclut immédiatement que les passagers du véhicule, un homme et une femme, l'espionnaient. Mae s'empressa d'aller à leur rencontre. L'homme resta muet la plupart du temps. Lorsque Reagan fut pris pour cible, Mae reconnut les photographies de l'agresseur présumé : il s'agissait du même jeune homme silencieux qu'elle avait vu, garé en face de chez elle.

Après la mort de Mae, la paranoïa de ses amis et sympathisants atteignit des sommets inimaginables, les poussant à cacher ses volumineux dossiers de coupures de presse là où les agents du gouvernement ne pourraient les trouver. Pourtant, le jour où elle accueillit les agents du FBI dans son salon, Mae les supplia presque d'inspecter sa bibliothèque.

Elle alla même jusqu'à solliciter auprès du FBI le détachement d'une cellule de travail à seule fin d'étudier les « milliers de coupures de presse et les centaines d'ouvrages qu'elle avait rassemblés », à en croire un rapport de l'entretien émanant du FBI et daté du 4 mai 1981.

« Le Bureau doit être informé que tout nouveau contact avec Mme Brussell au sujet de ses théories ne saurait être considéré comme un investissement raisonnable en temps et en moyens dans le cadre d'une enquête », conclut le rapport, sur un ton acerbe assez peu habituel.

Un autre mémo concernant l'incident Hinckley et la visite d'hôtes de choix du FBI au domicile de Mae contient ce jugement des agents : « Mme Brussell est bien connue pour son instabilité mentale, et n'est pas prise au sérieux dans son village au sujet de ses théories du complot. »

Il est intéressant de constater que le dossier des services secrets concernant l'incident Hinckley, bien qu'il se close en décrédibilisant le témoignage de Mae, établit que « le sujet, Brussell, apparaît digne de foi ».

Tout contact de Mae avec le FBI semble prendre fin avec le présumé espionnage d'Hinckley et l'entretien qui en découla. Il est donc probable que Mae vécut les sept années suivantes sans être importunée par des agents secrets. Le FBI perdit-il tout intérêt à son égard après environ quatorze ans, décidant finalement de la rayer de sa liste pour ne plus la considérer que comme une timbrée inoffensive ? Cessa-t-elle de les contacter, n'apparaissant ainsi plus dans les registres du FBI ? Ou se cache-t-il, dans les pages de son dossier qui ne furent pas publiées, un autre secret ?

Le dossier se clôt sur un bref historique des contacts du FBI avec Mae Brussell au long des années. Le dernier incident décrit, la dernière mention officielle de Mae dans les archives du FBI, est un appel téléphonique qu'elle passa à l'antenne du FBI de Monterey en 1977. L'histoire en est pour le moins éloquente, mais d'une bien étrange façon.

« Elle s'est déclarée très inquiète au sujet d'un fait impliquant l'une de ses filles. Elle a appris qu'un jeune homme jouant dans une pièce aux côtés de sa fille avait montré un intérêt sentimental à l'égard de cette dernière. L'individu semblait être en possession de beaucoup d'argent bien qu'il n'eût en apparence aucun moyen d'en avoir. Brussell en a conclu que cet individu pouvait être un "agent provocateur" du FBI dirigé contre elle par l'entremise de sa fille. »

Sources principales

Article de Greg Beebe pour le *Santa Cruz Sentinel*, « Conspiracy Theorists Ponder the Mae Brussell Question », 28 février 1992.

X. Sharks Despot, « Mae Brussell : Secret Service Files on the Queen of Conspiracy Theorists », Steamshovel Press, numéro 8 (été 1993).

Jonathan Vankin, *Conspiracies, Cover-Ups, and Crimes*, Dell, 1992.

Article de John Whalen pour le *Metro* de San Jose, « All Things Conspired », 17 novembre 1988.

Le dossier FBI de Mae Brussell, en possession des auteurs.

Marilyn Monroe :
les Kennedy préfèrent les blondes

La principale question ayant trait à la mort de Marilyn Monroe n'est pas de savoir si elle a été assassinée, ni par qui, mais bien de savoir comment les hommes qui dirigeaient les États-Unis en 1962 arrivèrent à trouver le temps de faire leur boulot, tout occupés qu'ils étaient avec la star du grand écran.

Les frères Kennedy, Jack et Bobby, respectivement président et *attorney general*[1], passaient tous deux de longues heures au lit avec Marilyn, et plus de temps encore en conversations salaces au téléphone. Sam « Momo » Giancana – patron de la pègre de Chicago et de Las Vegas qui, selon certains, dirigeait véritablement le pays –, très préoccupé par ce sex-symbol qui menaçait d'éclipser tous les autres sex-symbols, la mit sur écoute, imité en cela

---

1. Équivalent de notre ministre de la Justice. *(N.d.T.)*

par Jimmy Hoffa, président du syndicat des routiers et chauffeurs, et ennemi juré de la famille Kennedy. Giancana considérait Marilyn Monroe comme un moyen de faire pression sur les Kennedy. Lui aussi coucha avec elle. Momo aurait même révélé un jour à un de ses collègues gangsters qu'il avait marqué un point de plus que les Kennedy pour avoir été le dernier à avoir fait l'amour avec Marilyn.

De son côté, et sans surprise, John Edgar Hoover passa beaucoup de son temps à écouter les enregistrements faits par le biais de mouchards installés dans chaque pièce de la maison de la star, ainsi que dans les demeures d'amis et les hôtels où elle se rendait.

Ces enregistrements, selon Fred Otash, détective privé basé à Hollywood qui en copia et conserva un grand nombre, sont « certainement les plus intéressants qu'on ait jamais faits, à l'exception du Watergate ».

Allons bon. Sur les bandes du Watergate, on ne peut entendre qu'un tas de vieux avocats jurer, fumer des cigarettes et se plaindre de la politique du pays. Alors que sur les bandes de Marilyn, à en croire les rumeurs, on peut entendre l'idole la plus sulfureuse de toute l'Amérique en pleine action avec le plus sexy des présidents des États-Unis ! Ainsi que d'autres choses aussi intéressantes, si ce n'est plus : le détective privé Milo Speriglio, qui a enquêté durant près de trente ans sur le cas Monroe, a avancé que l'assassinat de Marilyn avait également été enregistré.

Parmi les chercheurs, auteurs et investigateurs de tout poil qui prétendent avoir écouté une partie de ces enregistrements ou savoir ce qu'on peut y entendre (ou plus simplement encore, avoir enquêté sans relâche sans avoir jamais rien trouvé de consistant), les opinions quant aux circonstances du décès de Norma Jean Baker le 4 août 1962, à l'âge de 36 ans, recouvrent un spectre des plus larges. Sans parler de l'identité des assassins présumés : la plupart des théories désignent les frères Kennedy et Giancana, sous l'œil attentif, comme toujours, de Hoover.

Speriglio désigne carrément comme commanditaire du meurtre Jack Kennedy en personne, avec la complicité de son père Joe, dont la moralité était plus que douteuse. Gageons que l'attaque cérébrale qui avait entraîné chez ce dernier un lourd handicap physique et mental avait laissé intacte sa propension à faire le mal, du moins du point de vue de Speriglio.

Marilyn serait devenue trop gênante. Ses incessants appels téléphoniques à la Maison-Blanche et au ministère de la Justice étaient devenus le sujet de prédilection des rumeurs de l'administration Kennedy. Et la menace d'une révélation fracassante de sa relation avec les deux frères Kennedy au cours d'une conférence de presse planait toujours, d'autant plus que Marilyn semblait envisager très sérieusement cette possibilité. Elle mettait en danger la dynastie Kennedy et, avec elle, la sécurité du pays tout entier. Voulant impressionner sa conquête extraconjugale (d'une bien étrange façon), Bobby aurait révélé à Marilyn des informations secrètes concernant les tentatives d'assassinat de Fidel Castro orchestrées de concert par la CIA et la Mafia. C'est du moins ce qu'on prétend. Selon la version officielle, Marilyn Monroe se serait suicidée par overdose de barbituriques.

Même Anthony Summers, auteur de la biographie *Goddess*, qui ne pense pas que Marilyn se soit intentionnellement donné la mort mais ne fait qu'envisager la possibilité d'un homicide, semble convaincu dans son livre de la présence de Bobby Kennedy dans le bungalow de la star la nuit même de sa mort. L'*attorney general* aurait rendu visite à sa maîtresse par « pure compassion » : c'est du moins ce que prétend Summers, peut-être dans l'espoir de s'en convaincre lui-même.

Le jour de sa mort, Marilyn était au summum du désespoir. Elle passa la journée à appeler toutes les personnes qu'elle connaissait afin d'épancher ses larmes sur les malheureuses relations qu'elle avait entretenues avec les frères Kennedy. Soucieux comme toujours de leur carrière, ils l'avaient cruellement nourrie de faux espoirs avant de l'abandonner. Selon la majorité des versions de l'histoire, Bobby aurait initié une relation avec Marilyn principalement pour protéger le président. John considérait Marilyn comme une simple aventure sans lendemain. Elle voyait en lui un époux potentiel. Elle garda pour elle ses rêves illusoires de devenir un jour la première dame des États-Unis, et lorsque John se lassa d'elle, elle refusa obstinément de mettre un terme à leur relation. C'est alors qu'entra en scène Bobby, qui commit la tragique erreur de tomber amoureux de Marilyn.

Certains biographes avancent que Marilyn Monroe portait un enfant Kennedy en 1962, sans pour autant véritablement préciser s'il s'agissait de l'enfant de John ou celui de Bobby.

Selon la reconstitution des faits à laquelle se prête Summers, Bobby Kennedy aurait trouvé Marilyn en pleine overdose, mais encore vivante. Lui, ou l'un de ses assistants, aurait appelé une ambulance afin de la transférer de toute urgence à l'hôpital, mais elle aurait succombé durant le trajet. Le cadet des Kennedy, face à la mort impromptue de sa maîtresse, aurait immédiatement choisi de se faire le plus discret possible. Quelles que soient les causes de la mort de Marilyn, il n'aurait pas été du meilleur effet pour celui qui aspirait à devenir le prochain président de s'exposer au public, dans un hôpital, aux côtés du cadavre du plus grand sex-symbol de la planète.

Toujours selon Summers, l'ambulance aurait rebroussé chemin jusqu'au bungalow. On coucha sur son lit ce corps proprement fantasmatique, on remit en ordre la chambre, et on téléphona à Robert Greenson, confident et psychiatre de Marilyn. C'est ce même Greenson qui fit la découverte officielle de la dépouille de Marilyn Monroe, alors que Bobby se trouvait déjà loin de L. A., en sécurité. Ou peut-être pas. Un policier du nom de Lynn Franklin prétend avoir arrêté un véhicule conduit par Peter Lawford peu après minuit, plusieurs heures après la mort de Marilyn. Bobby Kennedy se trouvait sur la banquette arrière.

Contrairement à d'autres auteurs ayant traité ce sujet, Summers admet que sa version des faits peut être « fausse quant à certains détails, même s'il s'agit d'une reconstitution fidèle basée sur les éléments connus et avérés jusqu'à maintenant ». Il avance également que, très vraisemblablement, « aucun crime sérieux n'a été commis cette nuit-là ». Toujours selon Summers, la mort de Marilyn Monroe fut à Bobby Kennedy ce que l'accident de Chappaquiddick[1] fut à Edward Kennedy : il s'est simplement trouvé au mauvais endroit au mauvais

---

1. À la suite d'une soirée bien arrosée, Edward Kennedy eut un accident de voiture dont il réchappa. La personne qui l'accompagnait, Mary Jo Kopechne, collaboratrice de sa campagne pour le Sénat, trouva cependant la mort, et l'affaire fut révélée par les médias. *(N.d.T.)*

moment aux côtés du mauvais cadavre. À la diffé-rence près que Bobby en réchappa, alors que son frère cadet Edward fut pris sur le fait.

Dans la dernière édition de son ouvrage, complétée et remise à jour, Summers interroge une source anonyme qui prétend avoir écouté les enregistrements de la dernière nuit de Marilyn. Il semblerait que ces preuves aient été modifiées. On peut entendre les voix de Bobby Kennedy, Peter Lawford et Marilyn Monroe, les deux ex-amants se criant dessus tandis que Lawford tente de les apaiser. À un moment, selon l'informateur de Summers, on entend des bruits de lutte. Bobby aurait violemment poussé Marilyn sur son lit.

Selon Summers, l'enregistrement donne l'im-pression que Marilyn était déjà morte lorsque Bobby quitta le bungalow, à la suite de sa seconde visite de la soirée, et que, un peu plus tard, quelqu'un a tenté de joindre feu Norma Jean par téléphone. On entend une personne décrocher le combiné, mais sans répondre. Lorsqu'on découvrit le corps de Marilyn, sa main était refermée sur celui-ci. Cela impliquerait que l'objet ait été placé dans sa main, l'appel téléphonique n'ayant eu qu'une fina-lité, celle de prouver que Marilyn, bien vivante, avait décroché et répondu à une heure où, en réalité, elle était déjà bien trop morte pour papoter.

Les conspirationnistes, de même que de nom-breux légistes, ont toujours été gênés par deux détails d'importance dans cette affaire : l'absence de résidu de pilules dans l'estomac de Marilyn, et le fait qu'aucun verre d'eau n'ait été trouvé dans l'appartement, objet qui cependant aurait été indispensable à l'absorption de la dose massive de barbituriques censée l'avoir tuée. Qui plus est, aucun légiste n'a pu trouver sur son corps la moindre trace d'injection. Summers fut le premier à rendre publique la seule méthode d'ingestion capable de ne laisser aucune trace visible, à moins d'une inspection assez particulière. Et cette « voie » avait effectivement été négligée.

Peter Lawford, acteur débauché, membre de la famille Kennedy par son mariage, et grand organisateur des rendez-vous adultérins de Jack sur la côte ouest, en savait long sur les derniers instants de Marilyn, mais il emporta ses secrets dans sa tombe de pécheur impénitent. Répondant un jour à l'une de ses successives épouses lui demandant s'il savait comment Marilyn avait trouvé la mort, il eut cette remarque énigmatique :

« Marilyn a pris son dernier gros lavement. »

La star « se plaignait de constipation chronique », écrit Summers. « Les lavements sont un des remèdes préconisés contre ce mal. C'était une marotte assez banale dans le show business de cette époque, car ce traitement permet également de perdre instantanément du poids. » Marilyn avait recours aux lavements depuis des années.

La théorie de l'ingestion par voie rectale est à présent des plus communes. Dans leur ouvrage *Notre homme à la Maison-Blanche*, le filleul de feu Sam Giancana (appelé lui-même Sam Giancana) et son frère Chuck révèlent que les meurtriers de Marilyn, alors qu'ils s'approchaient de son bungalow, étaient connectés aux mouchards déposés chez elle par Giancana, à l'affût du moment idéal pour passer à l'action. Ils purent ainsi entendre Bobby Kennedy et un autre homme, furieux contre Marilyn. Bobby finit par pousser son ex-maîtresse à prendre des sédatifs, avant de quitter le bungalow. Les hommes de main s'introduisirent alors chez elle et, profitant de l'état de stupeur d'une Marilyn allongée, sous l'effet des hypnotiques qu'elle avait absorbés, lui administrèrent le fatal « suppositoire ».

Dans l'ouvrage consacré à Marilyn intitulé *Crypt 33* (titre qui reprend le nom du compartiment où reposait le corps de Marilyn à la morgue du comté de Los Angeles), Speriglio raconte comment Johnny Roselli (superstar de la pègre et associé de Giancana, connu pour avoir participé aux projets de la CIA et de la Mafia visant à éliminer Fidel Castro et, selon certaines sources, John F. Kennedy) rendit visite à Marilyn afin de faire diversion (tous deux se connaissaient, Roselli gravitant dans la nébuleuse du show business), permettant ainsi à deux tueurs d'arriver dans le dos du sex-symbol américain. L'un d'eux lui fit perdre connaissance à l'aide d'un bout de tissu imbibé de chloroforme, et l'autre lui administra le lavement mortel. À la lecture de *Crypt 33*, ouvrage très inégal du point de vue de l'écriture, on ne parvient pas à savoir si Speriglio se base vraiment sur les enregistrements opérés chez Marilyn à son insu, bien qu'il semble le sous-entendre.

Toujours dans le même livre, Speriglio prétend que Joe et John Kennedy sollicitèrent Giancana afin de faire disparaître Marilyn, et que le gangster, toujours soucieux d'augmenter son influence sur les Kennedy, se fit un plaisir d'accéder à leur requête. Speriglio abandonne ainsi sa précédente théorie, exposée dans *The Marilyn Conspiracy*, selon laquelle Giancana et Hoffa, sous la pression de Bobby Kennedy, et au fait de sa relation avec Marilyn grâce aux enregistrements faits à son insu, auraient décidé de noyer l'*attorney general* dans un scandale. Le meurtre de sa déesse extraconjugale aurait été la clef de voûte de leur complot. Mais les Kennedy parvinrent à noyer le poisson, et ni Bobby ni John ne furent inquiétés. Ce ne fut le cas que plus tard, et la méthode pour les faire définitivement tomber fut alors très différente. Bien plus directe, dirons-nous.

Cependant, de nos jours encore, un épais écran de fumée continue de protéger les Kennedy. Sur ce point, tous les auteurs s'étant penchés sur la mort de Marilyn sont d'accord. Qu'elle ait été tuée, qu'elle se soit suicidée ou que sa mort ait été due à une surestimation involontaire de sa résistance aux calmants (cette dernière hypothèse étant la préférée de Summers), il ne fait aucun doute que la relation qu'entretenaient les frères Kennedy avec elle devenait de plus en plus dangereuse. En 1985, probablement pour cette raison, ABC annula l'un des sujets de son magazine d'actualité « 20/20 » qui corroborait en toute objectivité la thèse présentée par Summers dans son ouvrage *Goddess*. Ce sujet de près d'une demi-heure contenait également des informations concernant plusieurs autres aventures de John Kennedy, parmi lesquelles sa relation avec Judith Campbell Exner, maîtresse de Sam Giancana, et Inga Arvad, suspectée d'avoir été une espionne nazie.

Les dirigeants d'ABC, manifestement gênés, imposèrent des coupes franches dans le sujet, dont la durée avait été réduite à treize minutes lorsque Roone Arledge, directeur de l'information à ABC et ami intime de l'épouse de Robert Kennedy, Ethel, décida tout bonnement d'annuler sa diffusion. Il réfuta le fait que ses relations aient lourdement pesé dans son choix, préférant considérer le sujet de ses propres journalistes comme « dégueulasse ». Selon Hugh Downs, l'un des présentateurs les plus populaires d'ABC, ce « sujet dégueulasse » était « plus soigneusement documenté que tout ce que les médias ont pu révéler au cours du Watergate ».

Une autre biographie raconte que, plus d'une décennie après la mort de Marilyn Monroe, Veronica Hamel (une actrice de télévision qui devait accéder plus tard à la célébrité en participant à la série *Hill Street Blues*) acquit la maison dans laquelle Marilyn avait vécu et trouvé la mort. Durant les travaux qu'elle y fit faire, elle découvrit une multitude de câbles rouillés par le temps, dissimulés dans les plafonds. L'actrice chargea un entrepreneur privé de détruire ces câbles qui avaient transmis les moindres sons de la vie angoissée de Marilyn Monroe, ainsi que ceux de sa sinistre mort, jusqu'à une bande magnétique qui, aujourd'hui encore, est l'objet des plus grandes spéculations conspirationnistes.

Sources principales

Notre homme à la Maison-Blanche, Sam et Chuck Giancana, Robert Laffont, 1992.

Marilyn, histoire d'un assassinat, Peter Harry Brown et Patte B. Barham, Pocket, 1993.

Crypt 33, the Saga of Marilyn Monroe : The Final Word, Adela Gregory et Milo Speriglio, Birch Lane Press, 1993.

The Marilyn Conspiracy, Milo Speriglio, Pocket Books, 1986.

Les Vies secrètes de Marilyn Monroe, Anthony Summers, Presses de la Renaissance, 1986.

Jim Morrison :
le Roi Lézard est vivant !

Selon toute vraisemblance, Jim Morisson, légende du rock'n roll, est enterré à Paris, au cimetière du Père-Lachaise. Bien entendu, ce simple fait n'a pas empêché la prolifération des témoignages de personnes ayant « vu » le chanteur des Doors depuis sa mort présumée en 1971. Mettons cela sur le compte, si vous le voulez bien, du statut de véritable mythe de cette icône du rock – sur le même plan que le manque de discrétion de feu Elvis Presley aux quatre coins des États-Unis, et le goût très prononcé de la Vierge Marie pour les apparitions surprises sur des tortillas.

Pourtant, les circonstances de la mort de Jim Morrison n'en demeurent pas moins aussi mystérieuses que déroutantes. Rien de surprenant, dans le fond, à ce qu'une légion de rumeurs posthumes ait colporté le fait que, par la grâce de conspirations parfaitement assorties au triste événement (cela va du politique au surnaturel), le Roi Lézard soit bel et bien vivant. Et force est de constater que la version officielle de sa mort est à certains égards beaucoup moins vraisemblable que les théories les plus abracadabrantes.

Officiellement, Jim Morrison est mort aux environs de cinq heures du matin, le 3 juillet 1971, d'une crise cardiaque, décès des plus improbables pour un homme de vingt-sept ans, mais un peu moins fantaisiste dans le cas d'une rock star prématurément usée par une décennie entière de bacchanales et de débauches en tous genres. Comme l'a raconté sa petite amie de longue date, Pamela Courson, Jim Morrison aurait décidé un soir de prendre un bain, dans leur appartement parisien. Courson alla se coucher et, le lendemain matin, trouva son cadavre dans la baignoire.

De curieuses rumeurs virent le jour presque immédiatement, sans doute alimentées par l'effort incompréhensible de Pamela Courson pour dissimuler la vérité aux médias. Elle commença par informer les journalistes que Morrison n'était « pas mort, mais très fatigué et au repos dans un hôpital ». Cependant, on commença à raconter dans le Tout-Paris que Jim Morrison était mort d'une overdose d'héroïne dans un club mal famé, le Rock'n Roll Circus. (Une autre rumeur très populaire voulait qu'il ait succombé d'une overdose de cocaïne, drogue qu'il avait la réputation de consommer souvent au-delà de l'excès). Le corps de Morrison aurait été rapatrié jusqu'à son appartement, et déposé dans la baignoire, dans l'espoir de le faire revenir à la vie. Bien évidemment, aucun témoin n'avait assisté à la scène.

Bien que Pamela Courson clamât que Jim Morrison était toujours en vie plusieurs jours après sa mort, un médecin parisien avait déjà signé son certificat de décès, identifiant le défunt par ces mots : « James Morrison, Poète ». Le cercueil fut scellé avant même que l'ambassade des États-Unis et la famille Morrison n'aient été informées de l'événement. On ne procéda à aucune autopsie. Ce ne fut que six jours plus tard, à la suite de l'enterrement de Jim Morrison au Père-Lachaise, qui se déroula dans le plus grand calme, que Bill Sidons, manager des Doors, organisa une conférence de presse au cours de laquelle il déclara que l'artiste était mort d'une attaque cardiaque causée par un caillot de sang et, probablement, une infection pulmonaire.

Le *Los Angeles Times* réveilla les soupçons en mettant à sa une un article au titre évocateur : « POURQUOI L'ANNONCE DE LA MORT DE MORRISON A-T-ELLE ÉTÉ RETARDÉE ? » Il fut inévitablement question de manipulation et de dissimulation. Après tout, Pamela Courson, deux ou trois médecins français et des policiers dont on ne connaissait pas l'identité avaient été les seules personnes à *avoir vu* le cadavre de Jim Morrison.

Siddons lui-même (qui prit le premier jet pour Paris après que Courson lui eut répété au téléphone que Morrison n'était pas mort, avant de s'effondrer en larmes) n'avait pas eu la curiosité de faire ouvrir le cercueil lorsqu'il était arrivé dans l'appartement parisien.

D'autres détails invraisemblables dans la version officielle des faits ne manquèrent pas d'alimenter les plus folles spéculations : comment une rock star telle que Morrison avait-elle pu aussi facilement trouver une place au Père-Lachaise, cimetière historique où reposent des sommités telles que, entre autres, Balzac, Chopin, Molière et Oscar Wilde ? Pour une raison inexpliquée (et donc, suspecte), la sépulture demeura des mois sans pierre tombale et sans la moindre inscription. Lorsque le batteur des Doors, John Densmore, vint plus tard se recueillir sur la sépulture de son leader défunt, il déclara : « La tombe est trop petite ! »

À la théorie non corroborée de l'overdose d'héroïne au Rock'n Roll Circus (la préférée des Parisiens), vint s'ajouter un assortiment de scénarios alternatifs.

Selon l'une des théories de conspiration politique, Jim Morrison aurait été assassiné dans le cadre d'un complot ourdi par ces réactionnaires aux cheveux rasés du FBI. Dans le but d'éradiquer la nouvelle gauche américaine et le mouvement hippie, les petits soldats de John Edgar Hoover auraient réglé son compte à Jim Morrison, dont la popularité, le refus de toute autorité et l'intelligence naturelle représentaient une menace contre le modèle américain conservateur. C'est du reste pour ces mêmes raisons qu'ils auraient éliminé Janis Joplin et Jimi Hendrix, eux aussi supposés avoir succombé d'une overdose, un an plus tôt. (Cette théorie fut illustrée par un film à petit budget, *Down on Us*, rebaptisé plus tard *Behind the Doors*).

À l'époque, cette théorie ne semblait pas aussi tirée par les cheveux qu'elle le paraît de nos jours, étant donné les complots avérés ayant visé à miner la nouvelle gauche américaine, ainsi que les efforts du FBI pour décrédibiliser Martin Luther King (sans mentionner ici les troublants éléments mêlant le gouvernement des États-Unis à son meurtre). De plus, à la suite de l'arrestation de Morrison à Miami (il aurait exposé sa verge sur scène), le FBI ouvrit bel et bien une enquête sur son passé. Bien entendu, en plus du manque absolu de preuves, cette théorie ne tient pas la route pour la simple et bonne raison que Jim Morrison a toujours refusé de se prostituer au nom de quelque cause politique que ce fût. Pourquoi le FBI se serait-il donné la peine d'éliminer un danger qui n'en était pas un ?

Les théories occultes se basent sur l'attrait bien connu de Jim Morrison pour l'ésotérisme (il se « maria » au cours d'une cérémonie de la Wicca, et croyait que l'esprit d'un Indien vivait en lui). Selon l'une d'elles, il mourut lorsque quelqu'un énucléa ses yeux avec un couteau pour « libérer son âme ». Une autre théorie surnaturelle avance qu'une de ses maîtresses habitant à New York, délaissée, l'aurait tué par sorcellerie transatlantique. D'autres encore prétendent que l'esprit de Jim aurait quitté sa dépouille mortelle (comme c'était effectivement le cas durant des transes, au dire même de Pamela Courson), mais aurait négligé cette fois d'y retourner.

Les théories les plus populaires reposent sur une seule et même idée : Morrison, artiste « martyr » dans le sens exposé par la comédie musicale *Jésus-Christ Superstar*, aurait défié la mort, métaphysiquement, voire littéralement. Morrison s'en serait sorti vivant !

Comme l'écrivent James Riordan et Jerry Prochnicky dans la biographie qu'ils consacrèrent à Morrison, *Break on Through*, son « étrange style de vie inspirait de telles supputations ». Ses disparitions médiatiques et médiatisées avaient engendré bien avant 1971 des rumeurs sur sa disparition, et la confusion qui accompagna l'annonce de sa « vraie mort » fit le nid des spéculations. Il avait souvent évoqué le souhait de se débarrasser de son statut de superstar en mettant en scène sa propre mort, pour disparaître au plus profond de l'Afrique ou dans un autre coin du monde suffisamment mystérieux. Il avait dit à ses intimes qu'il userait du *nom de guerre*[1] de « Mr Mojo Risin' » (la célèbre anagramme de « Jim Morrison » dans la chanson *L. A. Woman*) pour les contacter après s'être « évanoui en Afrique ». Enfin, Morrison était fasciné par les théories conspirationnistes selon lesquelles les Apôtres auraient volé le corps du Christ enfermé dans son tombeau durant ce qu'il appelait pour rire « le casse de Pâques ».

Ce n'est donc pas une surprise si, très vite après sa mort, on commença à le « voir » d'abord à Paris, et bientôt à Los Angeles, où un Morrison vêtu de cuir noir des pieds à la tête est supposé avoir traîné dans toutes les boîtes gays underground. Un employé de la Bank of America à San Francisco prétendit avoir sous sa responsabilité le compte d'une personne du nom de Jim Morrison ressemblant étrangement au chanteur, bien que plus tard, devant des journalistes, il admit ne pas être certain qu'il s'agissait du leader charismatique des Doors. En 1974, le moulin à rumeurs se mit à tourner en surrégime lorsque Capitol Records sortit un album intitulé *Phantom's Divine Comedy*[2], dont les membres du groupe étaient sommairement nommés : « Batteur : X ; Bassiste : Y ; Clavier : Z. » Plus singulier

---

1. En français dans le texte. *(N.d.T.)*
2. « *La Divine Comédie du Fantôme* ». *(N.d.T.)*

encore, la voix du chanteur ressemblait à s'y méprendre à celle de Morrison. Il a récemment été établi que ce sosie vocal était en réalité Iggy Pop en personne, chef de file de la scène prépunk américaine et leader des Stooges.

Selon une légende exposée dans l'ouvrage *Break on Through*, « Jim aurait fait une apparition impromptue sur une obscure station de radio du Midwest au beau milieu de la nuit, et aurait tout révélé au cours d'une interview fleuve ». Bien entendu, à la suite de l'émission, l'homme mystère se serait à nouveau évanoui dans la nature, et, plus fâcheux encore, « il n'existe aucun enregistrement de l'interview ».

D'autres rumeurs veulent que Morrison vive secrètement en Louisiane. Ce Morrison incognito aurait écrit un livre intitulé *The Bank of America of Louisiana*[1] (titre qui relie cette théorie au témoignage de l'employé de banque évoqué ci-dessus), et publié en 1975 par la Zeppelin Publishing Company. Une note liminaire, qui précise que les noms des personnages de cette fiction « basée sur des faits réels » ont été modifiés afin que « je ne me retrouve pas à nouveau devant un tribunal », est signée « Jim Morrison ». La dernière phrase du roman est aussi énigmatique qu'insensée, comme

---

1. *« La Banque d'Amérique de Louisiane ». (N.d.T.)*

on pourrait s'y attendre de la part d'un rocker immortel de la fin des années soixante : « B d'A & Compagnie, USA... où la monnaie de singe est une affaire de gros sous[1] ».

Toutes ces rumeurs inspirèrent un groupe de fans qui, armés du dossier dentaire de Morrison, tentèrent de faire exhumer le corps de la star, sans succès. Cependant, la rumeur ne désenflant pas, le clavier des Doors en personne, Ray Manzarek, se sentit forcé de déclarer un jour : « S'il y a bien un mec capable de mettre en scène sa propre mort – de se procurer un faux certificat de décès ou de corrompre un médecin français... et de mettre 75 kilos de sable dans un cercueil avant de disparaître n'importe où sur terre, en Afrique ou autre part, c'est bien Jim Morrison. »

Les spéculations n'en devinrent que plus folles, et, bien entendu, plus obscures.

Le fait que le père de Jim, Steven Morrison, ait été amiral de l'U. S. Navy et, en tant que tel, « au fait d'informations relevant de l'espionnage et du contre-espionnage » permit à des théories impliquant les services secrets de fleurir. Selon le « conspiratologue » Thomas Lyttle, un magazine scandinave publia un article « faisant état dans le

---

1. « *B of A & Company, USA... where monkey business is big business.* »

détail des efforts des services de renseignements français pour assassiner Jim Morrison à Paris ».

Dans le gigantesque chapitre que Lyttle consacre à Morrison dans l'anthologie *Secret and Suppressed*, l'auteur ne se contente pas d'une synthèse entre les théories mystiques et celles impliquant les services secrets : il met au centre de ce syncrétisme le sosie de Louisiane, aboutissant ainsi à une sorte de Cerbère conspirationniste à trois têtes.

Lyttle commence par avancer que de bas intérêts commerciaux ont interféré dans la transmigration spirituelle de Morrison (de même que les dirigeants de maisons de disques avaient compromis son talent terrestre). Les articulations du raisonnement de Lyttle sont assez confuses, mais peuvent se résumer clairement : il prétend que Morrison était féru de mysticisme vaudou, culte selon lequel l'âme, ou « aura », ne rejoint l'autre monde qu'après plusieurs mois de vagabondage. La tradition veut que les grands prêtres vaudous interceptent des âmes et gardent leurs prises dans des jarres de terre appelées *canaris*. Ce qui entraîne très logiquement la question suivante : l'aura de Morrison fut-elle « achetée et vendue avant d'être recueillie, ce jour terrible où il "mourut" à Paris » ?

Selon Lyttle, le *canari* qui captura la projection astrale de Morrison n'est autre que la Zeppelin Publishing Company, cette maison d'édition de Louisiane qui publia l'ouvrage de Jim Morrison sur le « B d'A » mentionné plus haut. (Lyttle affirme, sans pour autant le prouver, que le Jim Morrison original est le fondateur de la Zeppelin, ce qui semble suggérer que Morrison aurait approuvé la vente de son âme.) Mais *quid* du « grand prêtre » ayant procédé à la capture de l'âme de Morrison ? Toujours selon Lyttle, il s'agirait du mystérieux propriétaire de la « Compagnie B d'A », qui « possède un passeport et des cartes d'identité au nom de James Douglas Morrison et prétend être la rock star, en définitive pas aussi morte qu'on le croit » !

Ce qui signifie que l'âme de Morrison 1 aurait élu domicile dans le corps du mystérieux Morrison 2, que Lyttle surnomme « JM2 ». Et apparemment, JM2 avait d'autres centres d'intérêt que le sexe, les drogues et la poésie triste. Selon lui, JM2 « prétendait être un agent secret opérant pour le compte de groupes nationaux et internationaux tels que la CIA, la NSA, Interpol, les services de renseignements suédois, entre autres ». Lyttle prétend avoir consulté des documents, vraisemblablement fournis par JM2 et faisant état des missions qu'il effectua pour la CIA, ainsi que des « activités financières douteuses avec la Banque d'Amérique » auxquelles il se livra au nom d'agences de services secrets, activités telles que « des tentatives de déstabilisation des cours de monnaies étrangères ». Lyttle ne manque pas de souligner qu'il ne put authentifier ces documents. « Mais tout semblait parfaitement officiel et très précis », assure-t-il. Sans doute pour rassurer ses lecteurs.

Et à juste titre, puisque le « complot JM2 » est des plus aboutis. Comme le rapporte Lyttle, JM2 a déclaré publiquement qu'il existe de « nombreux » doubles de Morrison entièrement dévoués à une sinistre cabale sur fond d'espionnage et d'expériences sociologiques menées par la CIA. Qui plus est, tous ces James Douglas Morrison « se connaissaient les uns les autres et se rencontraient régulièrement pour concerter leurs actions ».

De quoi vous donner le vertige. Et de quoi se demander si le canular de la mort de Paul McCartney n'a pas été orchestré par l'ennemi juré de James Bond, Ernst Stavro Blofeld.

En 1991, la biographie *Break on Through* avance une explication du secret suspect qui entoura la mort de Morrison, explication bien plus prosaïque que la thèse des projections astrales de JM1, 2 et suivants. Pamela Courson avait emporté son secret dans sa tombe en 1974, à la suite d'une overdose d'héroïne. Les auteurs, Riordan et Prochnicky, interviewèrent donc des amis proches auxquels elle s'était confiée.

Selon eux, Morrison, déprimé, trouva la planque à héroïne de Courson et fit une overdose dans l'appartement parisien, probablement en sniffant la drogue, car il avait peur des aiguilles. Le lendemain matin, Courson trouva son cadavre, et avec l'aide d'un ami proche, tâcha d'éviter le cirque médiatique qu'avaient occasionné les morts de Jimi Hendrix et Janis Joplin, victimes plus ou moins directes de stupéfiants. Courson et compagnie parvinrent on ne sait trop comment à persuader un médecin français de déclarer une mort par crise cardiaque, excluant ainsi toute autopsie. Parallèlement, ils obtinrent, au prix de Dieu sait quels efforts, la permission d'inhumer Morrison au Père-Lachaise dans le calme, plusieurs jours avant d'informer le monde de son décès. Ils étaient sûrement loin de se douter que, en agissant de la sorte, ils posaient les fondations de la résurrection mythique de Jim Morrison.

Sources principales

Personne ne sortira d'ici vivant, Jerry Hopkins et Danny Sugerman, Christian Bourgois, 1983.
« Rumors, Myths and Urban Legends Surrounding the Death of Jim Morrison », Thomas Lyttle, *in Secret and Suppressed*, présenté par Jim Keith, Feral House, 1993.
Break on Through : The Life and Death of Jim Morrison, James Riordan et Jerry Prochnicky, William Morrow and Company, 1991.

Le parrain III : la véritable histoire

Chef spirituel de la communauté catholique, forte de 800 millions d'individus, le pape est sans doute l'une des personnes au monde à craindre le moins la solitude. C'est cependant tout seul, par une nuit de l'automne 1978, que mourut Albino Luciani, le pape Jean-Paul Ier, qui ne guida ses centaines de millions d'ouailles que durant 33 jours.

David Yallop, journaliste d'enquête britannique, a avancé en étayant très sérieusement ses arguments que le pape avait été empoisonné. Dans son livre *In God's Name*, il révèle que, malgré la brièveté de son pontificat, Luciani avait à cœur la nécessité de réformes. Et en premier lieu, sur sa liste de secteurs à assainir, figurait la Banque du Vatican et les institutions financières et religieuses qui en dépendaient. En d'autres mots : le véritable Empire romain.

À l'époque de Luciani, qui succéda à Giovanni Montini (le pape Paul VI), la Banque du Vatican s'était métamorphosée en une hydre financière et multinationale, diversifiée dans des secteurs auxquels le Saint-Esprit n'avait accès. Cette trans-formation avait débuté près de cinquante ans plus tôt, lorsque le Vatican avait conclu un marché très lucratif avec le gouvernement fasciste de Benito Mussolini, avant de signer un pacte de même nature avec Hitler.

L'ambition de Luciani était tout bonnement de défaire un demi-siècle d'histoire. Adressés au corps diplomatique du Vatican, ses premiers mots officiels en tant que pape, avant même la messe inaugurale, furent ceux-ci : « Nous n'avons aucun bien matériel à offrir, aucun intérêt économique à traiter. »

Une sacrée déclaration pour l'héritier d'un conglomérat économique regroupant des activités bancaires et immobilières pour un actif de près de trois milliards de dollars. La force de cet empire était telle que, une décennie auparavant, elle avait failli détruire l'économie italienne. Lorsque le gouvernement italien avait eu le culot de vouloir imposer quelques taxes sur l'opulent portefeuille de titres du Vatican, les autorités papales avaient menacé de déverser la totalité de leurs avoirs sur le marché boursier italien, un geste qui aurait signé l'arrêt de mort de l'économie du pays. La Vatican Inc. demeura exemptée d'impôts.

Les filières les moins ragoûtantes de la Banque du Vatican la liaient à l'obscure P2, à la fois syndi-cat du crime et loge maçonnique, dont les membres les plus éminents occupaient les plus hauts postes au sein du gouvernement, de la Mafia et même du Vatican.

Rien d'étonnant à cela, la loge P2 était un groupe néofasciste (il ne fait aucun doute que les financiers du Vatican ont fréquenté régulièrement de telles personnes au long des années), responsable d'un tragique attentat à la bombe dans la gare de Bologne.

Pour son fondateur, Licio Gelli (associé en affaires de Klaus Barbie, support financier de Juan Peron, contact rémunéré de la CIA, et invité d'honneur à la cérémonie d'investiture du président Ronald Reagan en 1980), finance et fascisme vont de pair. Ou pour citer un de ses aphorismes : « Les portes des chambres fortes de toutes les banques s'ouvrent toujours à droite. »

La Banque du Vatican était dirigée par un évêque américain du nom de Paul Marcinkus qui, pour des raisons encore inexpliquées, flânait dans les quartiers résidentiels du Vatican à l'aube du jour où l'on retrouva le corps sans vie du pape. Marcinkus, qui n'était pas coutumier de telles promenades de santé à six heures du matin, avait mis la main à de nombreux accords avec Michele Sindona et Roberto Calvi (membres de la loge P2) en tant que représentant de la Banque du Vatican.

Sindona, à présent en prison, était un spéculateur et un mafieux d'envergure internationale, à l'origine de fraudes qui aboutirent aux plus grosses faillites bancaires de l'histoire italienne et américaine. Marcinkus déclara tantôt être partenaire en affaires de Sindona, tantôt ne l'avoir jamais rencontré.

Au sujet de l'autre financier de la loge P2, Marcinkus dit un jour : « Calvi mérite notre confiance. Je n'ai absolument aucune raison d'en douter. »

« Ses commentaires sont d'autant plus révélateurs, commente Yallop sur un ton faussement surpris, qu'ils ont été proférés à peine huit mois après que Calvi eut été condamné à une amende de 13,7 millions de dollars et une peine de quatre ans d'emprisonnement, et seulement sept mois après que le Vatican et Marcinkus en personne eurent découvert (à en croire la version du Vatican) que Calvi avait détourné plus d'un milliard de dollars, laissant au Vatican le soin de régler la note. »

Roberto Calvi était un exemple parfait de corruption : au cours de sa carrière de criminel en col blanc, ce banquier italien n'eut de cesse de détourner des millions. Il aimait inciter ses collègues à lire le roman de Mario Puzo, *Le Parrain*, qui ne le quittait jamais. « Ainsi vous comprendrez comment marche le monde », concluait cet homme absolument immoral.

Cruelle ironie : la mort de Calvi et les scandales qu'elle révéla, dignes des Borgia, inspirèrent profondément *Le Parrain III*, deuxième suite de l'adaptation cinématographique de l'ouvrage de Puzo.

Calvi trouva la mort à point nommé au bout d'une corde fixée sous un pont londonien, le Blackfriars Bridge. Pas de chance pour ce pauvre Calvi qui, malgré les conclusions du légiste (« suicide par pendaison »), dut certainement sa fin pour le moins théâtrale à ses camarades attentionnés de la loge P2. Il aurait été pour le moins acrobatique d'escalader la face inférieure du pont et, de là, de se pendre haut et court. Beaucoup plus en tout cas que de procéder de la même façon, plus facilement et rapidement, *sur* le pont. À tout prendre, il aurait pu se contenter de sauter tout simplement du pont, solution d'autant plus sûre que ses poches étaient lestées par des briques.

Quatre heures après la mort de Calvi, sa secrétaire trouva à son tour la mort en Italie en se défenestrant. Sous la direction de Marcinkus, la Banque du Vatican avait servi de principal support aux manipulations financières de Calvi, aussi complexes qu'illégales. La Banque du Vatican possédait de nombreuses compagnies contrôlées en réalité par Calvi. Ces petits arrangements entre amis bénéficiaient aux deux parties : le Vatican et Calvi amassaient les millions. De plus, Calvi était le directeur financier de la loge P2. Lorsque Gelli, le maître incontesté de l'organisation, téléphonait au banquier, il utilisait le nom de code « Luciani ».

Les principes inhabituels qu'Albino Luciani entendait mettre en application en tant que pape menaçaient très gravement les intérêts de ce nœud de vipères. Luciani n'avait rien de moins que l'intention de priver le Vatican de son énorme richesse (le pape entendait que l'Église, à l'image de Jésus, fût pauvre) et de l'évêque Paul Marcinkus.

Si Luciani est réellement mort le 28 septembre 1978 de « mort naturelle », ce fut certainement un soulagement inespéré pour Gelli, Calvi, Sindona et Marcinkus, ainsi que pour la Mafia et la loge P2. Les trois premiers cités avaient cependant déjà prouvé que les complots et les assassinats commandités étaient pour eux bien plus qu'une simple habitude. Outre leurs rivaux au sein même de la pègre, ils avaient tué un certain nombre d'enquêteurs qui avaient commis l'erreur de trop s'intéresser à leurs sales affaires.

Bien qu'il n'eût pas un passé de meurtrier, Marcinkus avait aussi de très bonnes raisons d'éliminer le pape Jean-Paul Ier. Si Gelli, Sindona ou Calvi (très probablement tous trois de concert) négligèrent de s'occuper du sort du pape, ils valent d'être cités dans les manuels d'histoire comme les truands les plus négligents, et, après que le souverain pontife eut fortuitement cassé sa très sainte pipe, comme les hommes les plus chanceux de leur époque.

Le pape Jean-Paul Ier, le chef religieux le plus puissant et le plus influent au monde, accomplissait ses tâches quotidiennes sous la même protection dont bénéficiait l'homme qui lui apportait la presse matinale. En un mot : aucune.

Au fait que Luciani ne bénéficiait d'aucune garde ni d'aucune surveillance la veille de sa mort, certaines sources ajoutent que lorsque sa dernière heure sonna (quelle qu'elle fût et quelle qu'en fût la cause), il appuya sur le bouton d'alarme installé à son chevet. La lumière d'alarme fut ignorée par le garde qui, chargé de ce qu'on hésiterait à appeler la sécurité du pape, était tout simplement en train de dormir dans son lit. Personne ne se demanda pourquoi l'éclairage des appartements papaux, parfaitement visibles de l'extérieur, resta allumé toute la nuit, alors que le pape avait coutume de dormir neuf heures et demie par nuit.

On ne pratiqua pas d'autopsie sur le corps du pape Jean-Paul Ier, à la grande consternation des journalistes italiens qui, très naturellement, vu l'histoire politique de leur pays, sont généralement plus prompts à suspecter une conspiration que leurs homologues américains. Le Vatican tâcha d'apaiser les protestations de la presse en arguant mensongèrement que les lois de l'Église interdisent l'autopsie des papes (en réalité, aucune bulle, aucun édit ne fut jamais promulgué à ce sujet).

On déclara une mort par infarctus du myocarde, bien qu'aucun certificat de décès n'ait été établi, pas plus qu'un quelconque acte officiel.

Selon Yallop, faute d'autopsie, il est impossible de distinguer une intoxication par digitaline d'une crise cardiaque. On pourrait en dire autant d'une multitude d'autres substances, mais Yallop insiste sur la digitaline pour la simple et bonne raison que Gelli avait donné l'ordre à tous les membres de la loge P2 de se suicider à l'aide d'une dose de cette drogue (gracieusement offerte par l'organisation) s'ils se trouvaient un jour contraints de révéler les secrets du groupe paramaçonnique et crypto-fasciste.

Selon les sources de Yallop, on aurait trouvé, serrées entre les doigts raidis du pape défunt, des notes détaillant les changements qu'il comptait opérer dans les activités du Vatican. Pour sa part, le Vatican a déclaré qu'il serait mort *L'Imitation du Christ* entre les mains. On raconte que les premiers journalistes à entendre cette version ne purent s'empêcher de pouffer de rire.

« Il est difficile de croire que sa mort fut naturelle, commenta l'un des principaux assistants de l'archevêque français Marcel Lefebvre, étant donné le nombre de créatures du diable résidant au Vatican. »

Lorsque Karol Wojtyla, plus connu sous le nom de Jean-Paul II, fut élu successeur de Luciani, il reçut une liste des changements radicaux envisagés par le pape Jean-Paul Ier. Il n'en réalisa pas un seul.

Source principale

Au nom de Dieu, David Yallop, Christian Bourgois, 1986.

Howard Hughes :
l'ermite milliardaire

Howard R. Hughes est sans aucun doute le roi des milliardaires manipulateurs. Il devait moins son doigté digne de Midas à son légendaire génie technique et financier qu'à une liste interminable de pactes secrets et de pots-de-vin politiques. « Je peux acheter n'importe quel homme sur cette terre », aimait-il à dire. Si Hughes fait autorité en matière de conspiration, c'est effectivement grâce à la facilité qu'il avait (sans parler de son inclination naturelle) d'acheter la loyauté de toute personne susceptible d'agir en faveur de ses intérêts personnels, y compris le président des États-Unis.

Tout ce qui a trait à Hughes relève de la démesure, jusqu'à son destin légendaire, et pour le moins paradoxal. Héritier d'une fortune faite à Houston grâce au brevet d'un procédé de forage qui révolutionna l'exploitation pétrolière, le jeune et fringant Hughes s'empara de l'imaginaire américain durant la Grande Dépression. Aviateur tête brûlée, play-boy de Hollywood, patriote engagé dans l'armée, franc-tireur de la finance, Hughes était une sorte de superhéros de bande dessinée dont les exploits ne connaissaient pas de limite. Ce n'est que plus tard, lorsque ses excentricités dégénérèrent en folie, que sa face obscure se révéla. À la fin de son existence, il n'était plus qu'un vieillard aux cheveux filasse, un fou furieux qu'une peur délirante des microbes avait enfermé dans l'ermitage d'un appartement de grand standing.

Tout au long de sa vie, son obsession du contrôle s'exprima dans sa lubie de l'espionnage et des complots, qui ne manquait pas de nourrir en un cercle vicieux ses graves névroses. Cependant, malgré son apparente omniprésence au cœur d'une multitude de conspirations, Hughes n'en était pas moins contrôlé par d'autres. Connu par les espions sous le pseudonyme de « l'Actionnaire[1] », Hughes servit d'homme de paille pour des opérations secrètes de la CIA, parfois à son insu. L'empire du reclus dément était manipulé à distance par d'autres que lui.

Passons sur la première partie de la saga Hughes pour nous intéresser plus en détail à la fin des années cinquante, et à l'arrivée en scène du mysté-

---

1. *« Stockholder ».* *(N.d.T.)*

rieux (et quelque peu véreux) Robert Maheu, principale source de nombreuses conspirations de Hughes, réelles et imaginaires. C'est à cette époque que Hughes engagea Maheu pour intimider de supposés maîtres chanteurs et des douzaines d'espions que des starlettes d'Hollywood, pour le moins possessives, auraient engagés dans le but de lui nuire. Maheu était un ancien agent du FBI : son entreprise de sécurité rendit de grands services à la CIA sur des missions « ultrasensibles » (comprendre : « illégales »).

À l'époque où il devint l'espion particulier de Hughes, Maheu avait déjà de sérieuses références : il supervisait des enlèvements pour le compte de la CIA et œuvrait littéralement comme maquereau au sein de la même agence gouvernementale, engageant des prostituées afin d'assouvir les appétits sexuels divers et variés de dignitaires de tous pays. La mission la plus célèbre dont il s'acquitta pour la CIA est sans doute son rôle d'intermédiaire dans un complot visant à assassiner Fidel Castro en 1960 (et qui, évidemment, échoua) entre, d'une part, les services secrets américains, et d'autre part la Mafia, censée s'occuper des modalités du « coup ». Ami des plus grands salauds de son époque, Maheu sollicita l'aide de John Roselli (mafieux basé à Las Vegas, que les enfants de Maheu appelaient tendrement « Oncle Johnny »), le parrain de Chicago Sam « Momo » Giancana[1] et le grand patron de la pègre de Floride, Santos Trafficante.

Tout porte à croire que Hughes n'était impliqué en rien dans les « piges » de Maheu pour le compte de la CIA, mais il se délectait néanmoins des exploits et des contacts de son sbire, qui ne faisaient qu'accroître sa réputation et son influence (selon le journaliste Jim Hougan, Maheu informa Hughes de la nature de son implication dans le complot de la CIA visant à éliminer Castro). Néanmoins, à bien des égards, « l'Actionnaire » était l'un des plus grands partenaires de la CIA. Les motivations de Hughes, qui faisait profiter l'agence gouvernementale de ses fonds, étaient du reste loin d'être purement désintéressées. À la fin des années soixante, il demanda à Maheu d'offrir son empire à la CIA comme succursale. À cette époque, la fortune de Hughes se trouvait menacée par de sérieuses affaires d'ordre judiciaire : le milliardaire aux abois espérait se protéger de ces désagréables litiges grâce au bouclier de la « sécurité nationale ».

L'une des missions ponctuelles de Maheu auxquelles Hughes apporta son entier soutien fut une tentative couronnée de succès de contrecarrer un

---

1. À propos de ce personnage, voir également notre chapitre « Marilyn Monroe : les Kennedy préfèrent les blondes ».

mouvement dont le but était d'empêcher Nixon de se présenter en 1956 aux côtés d'Eisenhower en tant que candidat au poste de vice-président. Dès l'instant où Maheu entra dans l'orbite de Nixon, celui-ci sentit la formidable puissance d'attraction gravitationnelle de Hughes.

Hughes souhaitait faire de Nixon, champion de l'anticommunisme, l'une de ses marionnettes, et l'audacieux patronage du milliardaire convenait parfaitement aux ambitions politiques de Nixon. Malheureusement pour Nixon, la fortune de Hughes ne représenta pour lui qu'un handicap. Durant la course à la présidence de 1960, la presse révéla que la Tool Company de Hughes avait prêté la somme de 205 000 dollars au pauvre frère de Nixon, Donald (qui tentait alors de ressusciter sa chaîne de restauration rapide). La médiatisation de ce prêt, jamais remboursé, porta préjudice à Nixon dans les derniers jours de la campagne présidentielle, permettant du même coup à John F. Kennedy de prendre l'avantage. Hughes avait la fâcheuse habitude de toujours tourner à son avantage des affaires supposées « gagnant-gagnant ». Moins d'un mois après le prêt qu'il accorda au frère du vice-président, l'IRS[1] révoqua une décision

---

1. Internal Revenue Service, agence gouvernementale des États-Unis chargée de la collecte des impôts et du respect des lois fiscales américaines. *(N.d.T.)*

en rétablissant l'exemption d'impôt dont jouissait l'Institut médical Howard Hughes, qui sous ses statuts d'institution caritative, cachait difficilement sa vraie nature de niche fiscale.

Le milliardaire ultraconservateur pouvait faire preuve d'une certaine largesse d'esprit politique auprès des présidents successifs. Il ordonna ainsi à Maheu d'offrir un pot-de-vin de un million de dollars au président Johnson, mais également au président Nixon, à condition qu'ils mettent fin aux essais nucléaires dans le Nevada. Au milieu des années soixante, Hughes s'était déjà terré dans un appartement de grand standing à Las Vegas, et il considérait ces essais comme des menaces directes à sa santé. Maheu a par la suite déclaré n'avoir donné aucune suite à ces ordres.

La plus grande crise qui éclata dans le cercle d'influence de Nixon et de Hughes releva du domaine quasi métaphorique, et se révéla fatale à Nixon sur un plan politique. L'ombre de Howard Hughes planait au-dessus de l'affaire du Watergate : les enquêteurs de la commission sénatoriale étaient convaincus que l'insaisissable milliardaire était la clef du scandale. Mais sous la pression des séna-teurs, ils se virent contraints d'effacer de leur rapport définitif près de quarante-six pages qui concluaient que Hughes avait indirectement orchestré le cam-briolage du siège du Parti démocrate. On a avancé que Sam Ervin, président de la commission d'enquête, et ses collègues sénateurs (parmi lesquels beaucoup jouissaient des faveurs financières de Hughes) s'épargnèrent de fâcheux désagréments personnels en enterrant la piste du milliardaire.

Mais quel rôle, s'il est vrai qu'il y ait participé, Hughes a-t-il joué dans l'affaire du Watergate ? Mêlé de très près à la vie politique des États-Unis, l'Actionnaire semble y avoir pris part, d'une façon décisive à en croire certaines sources, et tout à fait accessoire selon d'autres. Lawrence O'Brien, ancien lobbyiste de Hughes au sein même de Washington, était président du Comité national des démocrates[1] lors du Watergate. O'Brien se joignit au personnel de Hughes en 1968, lorsque celui-ci, fidèle à sa sempiternelle campagne d'enrôlement des puissants et influents, ordonna à Maheu de mettre sous sa coupe les hommes de confiance de Robert Kennedy, à la suite de l'assassinat du sénateur. Et pour le milliardaire, « à la suite » signifiait avant même que le sang n'ait eu le temps de sécher, la nuit même du meurtre.

Dire que Nixon détestait O'Brien est un doux euphémisme. En plus d'avoir été le grand chambellan du clan Kennedy et l'un des principaux apparatchiks du Parti démocrate, O'Brien était à présent directement inféodé à l'empire de Hughes,

---

1. « Democratic National Committee » (DNC). *(N.d.T.)*

et en tant que tel, théoriquement, l'un des représentants privés du milliardaire auprès du président. Nixon chargea d'abord son équipe d'enquêter sur la relation O'Brien/Hughes dans le but de déterrer quelque affaire dommageable pour le président du Comité national des démocrates. Mais bien vite, les assistants de la Maison-Blanche se mirent à redouter qu'O'Brien ne soit en possession d'informations gênantes au sujet des marchés conclus entre Hughes et le président Nixon. L'une de ces affaires concernait un don de près de 100 000 dollars en liquide fait par le milliardaire à Nixon. Bebe Rebozo, le banquier de Nixon qui se chargeait habituellement de ce type de transactions, avait planqué l'argent en Floride. Il est probable que ce don aussi secret qu'illégal contribua en partie à la caisse noire de la Maison-Blanche qui permit de financer un certain nombre de mauvais coups et, plus tard, d'acheter le silence des hommes de main du Watergate.

Ces cadeaux furent grandement récompensés. L'aide généreuse apportée par Hughes à l'administration Nixon coïncida étrangement avec des décisions excessivement favorables (certains diront « excessivement illégales ») sur de délicates questions d'antitrust, permettant à Hughes d'accaparer le marché des hôtels-casinos de Las Vegas.

Selon l'analyse traditionnelle du scandale, le bureau d'O'Brien fut la cible principale des infractions perpétrées dans le bâtiment du Watergate. Cependant, une autre théorie très convaincante va à l'encontre de cette analyse. Et en vérité, elle ne contredit pas nécessairement la thèse selon laquelle l'administration Nixon était obsédée par les liens qui unissaient O'Brien et Hughes. Il est très vraisemblable qu'on trompa certains des hommes de main de la Maison-Blanche, dont G. Gordon Liddy (le fameux « plombier »), en leur faisant croire qu'ils devaient mettre sur écoute le téléphone d'O'Brien « dans le but de découvrir ce qu'O'Brien savait de fâcheux sur nous », comme l'a avancé Liddy en personne dans son ouvrage *L'Homme qui en voulait.*

Nixon, craignant probablement de perdre une autre élection à cause de Hughes, ourdit probablement la machination du Watergate sans véritablement savoir ce que Liddy et ses collègues faisaient au juste. Comme l'a écrit bien plus tard H. R. Haldeman, assistant principal de Nixon et directeur de l'équipe de la Maison-Blanche : « Sur les sujets concernant Hughes, Nixon semblait parfois perdre tout contact avec la réalité. Selon lui, c'est son implication avec ce mystérieux personnage qui lui valut de perdre deux élections. »

Bien évidemment, Hughes lui-même n'avait aucune connaissance des agissements ayant conduit au scandale, bien trop occupé à se cloîtrer dans le noir des chambres de palaces du monde entier, en se shootant à la codéine et en absorbant Valium sur Valium. Au début des années soixante-dix, Hughes n'était plus qu'un tas informe de névroses qui ne saisissait plus aucun objet qu'à l'aide d'un Kleenex « isolant », censé le préserver des microbes. Avec ses dents gâtées, ses ongles de pieds en tire-bouchon, ses longs cheveux graisseux tombant sur les épaules, et sa barbe d'ermite malpropre, il était devenu une caricature vivante du sémillant jeune homme qu'il avait été au cours des années trente et quarante. Les seuls êtres humains qu'il fréquentait étaient ses aides-soignantes mormones.

Hughes semble avoir perdu tout contrôle de son empire un an et demi avant les infractions commises au Watergate. Durant ce qu'on appela le « coup de Thanksgiving » de 1970, la guerre qui secouait déjà l'empire de Hughes, et dont l'enjeu n'était rien d'autre que le contrôle de l'Actionnaire et de ses actifs, atteignit un stade critique. Celui qui se voulait « maître conspirateur » n'eut pas même connaissance du complot ourdi par ses seconds. Les hauts cadres de Hughes, sous la férule de Bill Gay (l'administrateur mormon qui avait astucieusement sélectionné les aides-soignantes de Hughes), l'escamotèrent sur un brancard, de sa suite du neuvième étage de l'hôtel Desert's Inn de Las Vegas, via l'escalier de secours, jusqu'à un jet privé qui l'emporta aux Bahamas, comme un fétu de paille absolument inutile.

Le grand perdant de cette opération n'était autre que le super-espion Robert Maheu, dont l'ascension controversée au sein de l'empire Hughes se vit brutalement stoppée. Gay et consorts voyaient d'un mauvais œil le manque de subtilité de Maheu dans ses tentatives pour s'emparer du pouvoir, de même que ses primes et son salaire mirobolants, ses décisions très discutables, et son penchant malencontreux à se présenter comme « l'alter ego » de son patron. Maheu, pour sa part, accusa ses rivaux d'avoir purement et simplement kidnappé Hughes contre sa volonté.

Le coup de Thanksgiving engendra d'autres théories conspirationnistes. Un agent de l'IRS rapporta à ses supérieurs qu'il avait la conviction que Hughes était mort à Las Vegas en 1970, et que « les hauts cadres chargés de diriger son empire turent ce fait à l'époque, afin d'éviter une dissolution catastrophique de ses avoirs ». Selon ce même agent, un sosie « rompu à l'imitation de la voix de Hughes, ainsi qu'à celle de ses attitudes et de ses excentricités » aurait pris le relais du défunt. (En fait, il est avéré que, durant les années soixante, Hughes avait recours à des sosies qui servaient de diversion auprès des hordes de journalistes, couvrant les évasions en brancard du riche et célèbre invalide.)

Mais Hughes était bel et bien vivant, résidant apparemment de son plein gré aux Bahamas, comme il en informa le monde entier au cours d'une conférence de presse téléphonique sans précédent dans l'histoire du milliardaire fantasque. Au cours de cette interview, Hughes profita de l'occasion pour accuser publiquement Maheu, le présentant comme un « fils de pute malhonnête et malintentionné » qui l'avait « volé à [son] insu ».

Grâce à Gay qui avait sous ses ordres les aides-soignantes de Hughes, il fut facile pour les rivaux de Maheu de monopoliser les opinions et décisions de Hughes, avant même son exode aux Bahamas. Le fait de l'y envoyer permit à Gay et ses partisans de couper Maheu de toute influence et de tout pouvoir décisionnel, et d'empêcher le cas échéant tout témoignage de Hughes à l'un des procès en cours contre son empire pour corruption et irrégularités ; ce dernier point était crucial, car si Hughes avait dû faire une apparition publique, les juges, de même que le grand public, auraient constaté que, comme dans le conte d'Andersen, l'empereur ne portait aucun vêtement et, plus littéralement, qu'il était complètement dénué de raison, ce qui le rendait bien évidemment incapable de mener ses affaires.

Pourtant, étant donné le déclin du vieil homme acariâtre, et sa peur pathologique de se trouver en présence d'êtres humains, on peut s'étonner des apparitions publiques qu'il fit à la suite de son exil aux Bahamas. Durant un court séjour à Managua, il rencontra en personne le dictateur nicaraguayen Anastasio Somoza et l'ambassadeur des États-Unis. Plus tard, suscitant la peur de son garde du corps, il exigea même de piloter un avion comme dans sa jeunesse. Ce désir soudain de voir à nouveau le monde, après des années de solitude pathologique, peut apporter quelque crédit à la théorie du sosie ayant remplacé le défunt milliardaire. Cependant, seul le véritable Hughes était capable, comme on le raconte, de se déshabiller entièrement aux commandes d'un avion en exigeant de piloter en pleine tempête. Ces fugaces excursions hors de ses retraites hôtelières devaient pourtant bien vite cesser définitivement : il glissa en effet dans sa salle de bains, se fracturant la hanche, et, dès lors, resta alité jusqu'à sa mort, qui survint deux ans et demi plus tard.

On ne sait pas à quel degré Hughes était au courant de l'accord passé entre ses protecteurs et la CIA pour servir de couverture dans une opération de renflouement d'un sous-marin soviétique ayant sombré au nord-ouest d'Hawaï. Le « projet Jennifer », classé top secret, reposait en grande partie sur l'aide logistique que représentait le *Glomar Explorer*, gigantesque navire appartenant à la Summa Corporation de Hughes. Dernière tocade démesurée en date de Hughes (du moins d'après ce que l'on en sait), le *Glomar Explorer* avait pour mission officielle de tester de nouvelles méthodes de forage des fonds océaniques. C'était en tout cas la couverture nécessaire à la CIA. Officieusement, le navire fut conçu pour permettre aux services secrets de plonger une pince préhensile en acier au bout d'une longe d'un peu moins de 5 kilomètres dans l'espoir d'arracher aux abysses le sous-marin soviétique qui contenait des dictionnaires de code *(codebooks)* d'une très grande valeur stratégique.

Lorsque la presse eut connaissance de la véritable mission du navire dans l'océan Pacifique, Hughes fut une fois de plus salué comme un personnage sans commune mesure avec les simples mortels. En fait, à cette époque, la tête brûlée de la finance qui mesurait près de 1,90 m n'était plus qu'une carcasse décharnée de 41 kg, plus intéressée par les lavements que par l'espionnage international. Le 5 avril 1976, un jet reconverti en ambulance en provenance d'Acapulco atterrit à Houston : à son bord, le cadavre de Hughes. Le mystère qui entourait l'ermite milliardaire était tel que ses empreintes digitales furent relevées une dernière fois et envoyées au FBI pour vérification. Il s'agissait bien de Howard R. Hughes. L'agent de l'IRS avait donc tort.

La condition du corps révélait un état de négligence rien de moins qu'abjecte. Les rayons X révélèrent la présence d'aiguilles épidermiques logées dans ses bras. Feu Howard Hughes souffrait de dénutrition et de déshydratation. Pourquoi ses docteurs ne l'avaient-ils pas transféré au plus vite dans un hôpital, au mépris de ses protestations ? À Acapulco, il était resté trois jours dans le coma avant que son équipe « soignante » n'ait l'idée d'appeler un médecin mexicain, qui fut frappé d'horreur en constatant la condition de son patient. La police mexicaine suspecta non seulement la simple non-assistance à personne en danger, mais encore l'intention de nuire.

Même si Maheu est lui-même revenu sur sa théorie du kidnapping de Hughes par les hauts cadres de son empire, on peut se demander à juste titre dans quelle mesure le milliardaire acceptait de son plein gré sa situation d'extrême dépendance. On ne saurait nier que son déclin physique et mental l'ait rendu incapable de gérer ses affaires bien avant sa mort. Très vite, son repli sur lui-même permit à son équipe de contrôler chaque aspect de ses rares interactions avec le monde extérieur. Plus tard, il se vit littéralement maintenu dans une sorte de coma assisté, sous une dose massive de drogues, ses yeux vitreux fixés pour la énième fois sur des films de série B aux titres aussi ironiquement révélateurs que *Le Cerveau qui refusait de mourir*[1], tandis que ses employés géraient son empire à sa place.

---

1. « *The Brain That Wouldn't Die* ». *(N.d.T.)*

Dans un sens, on peut considérer comme un hommage au conspirateur qu'il prétendait être le fait que Hughes ait continué à couvrir certains agissements de la CIA longtemps après être devenu un véritable légume.

Sources principales

Empire : The Life, Legend and Madness of Howard Hughes, Donald L. Barlett et James B. Steele, Norton, 1979.

Silent Coup : The Removal of a President, Len Colodny et Robert Gettlin, St. Martin's Press, 1991.

Citizen Hughes, l'homme qui acheta l'Amérique, Michael Drosnin, Robert Laffont, 2005.

Spooks, Jim Hougan, Flammarion, 1980.

L'homme qui en voulait, G. Gordon Liddy, Julliard, 1984.

Next to Hughes, Robert Maheu et Richard Hack, Harper Collins, 1992.

Jack, l'éventreur royal

Si la théorie conspirationniste qui fait autorité au sujet de Jack l'Éventreur fut révélée par le film *Meurtre par décret*[1], aventure apocryphe de Sherlock Holmes, elle fut exposée pour la première fois dans *Jack The Ripper : The Final Solution*, ouvrage du journaliste anglais Stephen Knight, qui postula la thèse d'une cabale de francs-maçons poussant ses ramifications jusqu'au sein du gouvernement britannique, et à l'origine des meurtres de Whitechapel. Knight nourrit une fixation obsessionnelle à l'endroit des francs-maçons. Il fut également l'auteur d'un ouvrage plus général sur cette question, intitulé *The Brotherhood*, et travaillait à sa suite lorsque, sans crier gare, il trouva la mort.

La couronne britannique elle-même ne fut pas épargnée par les thèses de Knight, qui peuvent être résumées ainsi :

---

1. *Murder by Decree,* réalisé par Bob Clark, 1979 *(N d T)*

Dans une atmosphère de troubles politiques et de ressentiment de la classe ouvrière à l'égard de l'aristocratie en général, et de la famille royale en particulier (on compta près de sept tentatives d'assassinat de la reine Victoria), un membre de la Couronne, aussi rebelle que haut placé, commit une faute impardonnable pour son rang : il épousa une roturière. En secret, bien évidemment. Pour aggraver les choses, elle tomba enceinte de lui avant le mariage. Et pour la plus grande horreur de la cour victorienne, il s'agissait d'une catholique.

Le coupable n'était autre qu'Eddy, le duc de Clarence, sensible, bisexuel, et en seconde place dans la lignée successorale du trône. Étant donné la paillardise légendaire de son père le prince de Galles, qui était sempiternellement mêlé à des scandales de même nature, au point que son accession au trône était plus que compromise, la gaffe d'Eddy représentait une menace de grande ampleur pour la monarchie. Si le mariage venait à être dévoilé au public, les tribuns républicains s'empresseraient de saisir cette occasion rêvée de faire vaciller la Couronne.

Lord Robert Salisbury, Premier ministre et l'un des francs-maçons les plus haut placés du royaume, prit la ferme résolution qu'il n'en serait rien.

Salisbury n'agit pas que par patriotisme, bien qu'il vénérât les traditions de la monarchie britannique, mais également pour protéger ses propres intérêts personnels. Il devait son existence, ou du moins son importance (ce qui en l'occurrence revient au même), à la franc-maçonnerie. Et en Grande-Bretagne, la franc-maçonnerie était inextricablement liée à la Couronne, notamment par le prince de Galles, canaille notoire qui détenait le titre de Très Honorable Grand Maître d'Angleterre. Les francs-maçons représentaient bel et bien ce « pouvoir occulte » contre lequel un ancien Premier ministre, Benjamin Disraeli, avait mis en garde le pays. La franc-maçonnerie et la Couronne ne pouvaient survivre l'une sans l'autre.

Salisbury confia la mission à l'un de ses « frères » les plus intimes, sir William Gull, médecin et avorteur de la famille royale.

Voilà pour le décor planté par Knight. Son scénario est quant à lui illustré (à un détail d'importance près, comme on le verra plus tard) par les racontars de Walter Sickert, peintre impressionniste britannique et bohème qui passait le plus clair de son temps dans le quartier d'East End, l'un des plus défavorisés de Londres.

Selon ses propres propos, Sickert était l'ami du duc de Clarence. En fait, l'héritier présomptif se faisait passer pour le frère de Sickert afin de faciliter ses fréquents séjours dans ce quartier qui lui était interdit, et dans lequel il menait une vie parallèle.

Toujours selon Sickert, à force de courir la gueuse sous les traits de son propre sosie, Eddy tomba amoureux d'Annie Elizabeth Crook, simple employée de boutique, dont il eut une fille, avant de l'épouser. C'était bien plus que n'en pouvait supporter la royale famille d'Eddy : ils s'empressèrent de le cantonner à ses quartiers et, suivant les instructions du bon docteur Gull, enfermèrent son épouse honteuse dans un asile ou, plus vraisemblablement, comme Knight semble l'avoir découvert, dans un hospice, centre de réadaptation avant l'heure qui tenait très négligemment à jour le registre des entrées et sorties des internés.

Il n'y eut que deux témoins au mariage interdit : Sickert, et Marie Kelly, une fille qui travaillait dans la même échoppe qu'Annie. Lorsque les parents d'Eddy débusquèrent le couple improbable, Kelly, terrifiée, chercha refuge dans son Irlande natale, où par son silence elle assura sa propre sécurité.

Quelques années plus tard, Kelly revint à East End. Comme son unique moyen de subsistance se trouvait sous ses jupons, Marie se mit fatalement à fréquenter les personnes les moins recommandables des bas-fonds de Londres.

En un rien de temps, quelques-unes de ses collègues péripatéticiennes, à qui elle avait eu le manque de sagesse de révéler toute l'histoire (éveillant dans leurs cervelles embrumées par l'alcool des rivières de shillings), échafaudèrent et mirent en application une entreprise foutraque de chantage, signant par là même leur arrêt de mort.

N'oublions pas en effet que l'enjeu poursuivi par les francs-maçons est sans commune mesure avec une poignée de livres sterling. Comme un conspirationniste relativement nerveux l'a résumé, extrapolant la thèse de Knight : « Elles ne savaient pas même que leur plan était un obstacle dans la course à la Domination du Monde !!! »

Quoi qu'il en soit, Salisbury eut certainement l'impression que la sûreté de son emploi maçonnique était à nouveau menacé, et réitéra à Gull son ordre de dissimuler l'affaire. Le médecin transportait ses victimes dans sa voiture, conduite par un certain John Netley, qui avait servi de chauffeur à Eddy jusque dans les culs-de-sac sordides de l'East End, aux temps insouciants de ses fredaines roturières. Un troisième complice, identifié par Sickert comme sir Robert Anderson, assistant du préfet de police (et autre ponte de la franc-maçonnerie anglaise), attirait les pauvres victimes dans la sinistre voiture.

C'est du moins ce qu'aurait raconté le peintre Walter Sickert, et ce que son fils Joseph a rapporté à Knight. Joseph lui-même serait un descendant du duc, sa mère étant la fille d'Annie Crook, Alice, qui devint la compagne de Sickert, de loin son aîné.

En ce qui concerne les détails des assassinats et leur dissimulation, Knight a fourni un travail admirable de recherche et de vérification, ou du moins de corroboration de la version de Sickert.

De ce point de vue, on pourrait envisager les meurtres de Jack l'Éventreur comme un type d'exactions propre à tout gouvernement, similaire, par exemple, au fait de réduire au silence les témoins de l'assassinat de Kennedy (de la routine pure et simple, en définitive). On *pourrait* l'envisager ainsi, n'eussent été le symbolisme maçonnique complexe des éventrations et leur similitude avec les rites maçonniques.

En prenant bien le soin de préciser, au détour de plusieurs phrases, que les francs-maçons ordinaires ignorent tout des réels agissements de leurs « frères » haut placés dans la hiérarchie de leur ordre, Knight détaille longuement comment la doctrine maçonnique suivie par les initiés de haut rang les autorise, et même les encourage à faire le mal. Alors qu'il présente les francs-maçons enclins à suivre une telle doctrine comme un ramassis de cinglés, il indique par ailleurs que Gull, Anderson et même Salisbury en sont adeptes. Une élite de cinglés, en quelque sorte.

Knight interprète à sa façon le graffiti qui, sur l'une des scènes de crime, désignait les *« Juwes*[1] *»* et fut abusivement effacé par sir Charles Warren, préfet de police (et, bien évidemment, franc-maçon), qui craignait une montée de violence antisémite. Selon Knight, *« Juwes »* ne faisait pas référence aux

----

1. Équivalent d'un « Jwifs » en français. *(N.d.T.)*

« Juifs [1] » mais aux trois « Juwes », assassins répondant au nom de Jubela, Jubelo et Jubelum qui éliminèrent Hiram Abiff, architecte de Salomon et premier martyr de la foi maçonnique. De même, la façon dont les assassins couvrirent l'épaule de leur quatrième victime, Catherine Eddowes, de son propre appareil digestif, serait une référence directe aux blessures aussi ignobles que mortelles d'Hiram. Le corps d'Eddowes fut retrouvé dans Mitre Square, « le lieu le plus maçonnique de Londres » selon Knight, l'onglet de charpenterie (*« mitre »* en anglais) et l'équerre *(« square »)* étant deux symboles classiques de la franc-maçonnerie. Qui plus est, Mitre Square était un lieu de réunion maçonnique : il arrivait par exemple que la loge de Gull se retrouvât à la Mitre Tavern.

Gull, pour une raison inconnue, prit Eddowes pour Kelly : c'est la raison pour laquelle son assassinat est empreint de lourdes références au symbolisme maçonnique, qui étaient censées servir de couverture au véritable mobile du meurtre. Lorsqu'ils comprirent qu'ils s'étaient trompés de fille, les assassins attendirent trente-neuf jours – le nombre « parfait » de la franc-maçonnerie, égal à trois fois treize, comme l'indique Knight – avant de s'occuper de Kelly.

---

1. *« Jews »* en anglais. *(N.d.T.)*

Les multiples mutilations perpétrées sur le corps de Kelly répondraient apparemment au petit guide secret du découpage maçonnique d'un être humain. On pourrait du reste considérer que l'existence même d'un tel vade-mecum de la mutilation indique que quelque chose cloche dans la franc-maçonnerie. Mais, plus important que ces assertions, les meurtres eux-mêmes, leur nature répugnante et la panique qui saisit la population durant le règne de dix semaines de Jack l'Éventreur (qu'il s'agisse d'un tueur isolé ou de trois complices), auraient représenté une violente réaffirmation de la suprématie maçonnique, menacée à l'époque par les conflits sociaux qui agitaient la classe ouvrière.

Toujours selon Knight, les principes régissant les plus hauts grades de la franc-maçonnerie justifient de telles actions terroristes lorsqu'elles visent à l'élimination des dangers menaçant la fraternité maçonnique. Sickert aurait raconté que lord Salisbury lui-même, quoique quelque peu inquiété par ces meurtres, était par ailleurs ravi qu'ils représentent une manifestation publique du pouvoir maçonnique.

De façon extrêmement discutable, Knight se réfère aux *Protocoles des Sages de Sion*[1] comme sa

---

1. Texte composé à la fin du XIXe siècle par un faussaire, visant à établir l'existence d'un vaste complot juif pour dominer le monde. Il fut et reste encore l'un des piliers de la « pensée antisémite ». *(N.d.T.)*

principale source concernant l'organisation et les plans secrets de la franc-maçonnerie, et n'offre à ses lecteurs qu'un bref avertissement à ce titre, en l'espèce : « Les *Protocoles* ont fait l'objet de nombreuses polémiques dès leur première publication. » Il avance que « les antisémites ont dénaturé leur sens à leur profit » et que « les *Protocoles* existaient longtemps avant d'être publiés ». Ainsi, toujours selon Knight, « il semble impossible qu'ils n'aient pas exercé une profonde influence ». Plus précisément, Knight avance, sans autre justification que l'argument d'autorité selon lequel « les faits parlent d'eux-mêmes », que les *Protocoles* auraient profondément influencé « l'esprit fanatique » de sir William Gull.

Bien que son enquête soit souvent aussi convaincante qu'innovante, Knight a une fâcheuse tendance à se reposer sur de fausses évidences (« quelle autre explication pourrait-on trouver ? ») plutôt que sur de réelles preuves, imitant en cela un grand nombre de conspirationistes plus chevronnés. Sa thèse selon laquelle Gull mit en pratique le contenu des *Protocoles* en est un exemple parfait. Cependant, tout en avançant cette théorie (qui n'est pas complètement improbable), Knight fait mouche en précisant qu'il importe peu de savoir si les *Protocoles* sont authentiques ou pas. Ce qui importe réellement, c'est de savoir la façon dont Gull a pu interpréter leur sens.

La thèse de Knight comporte un ultime retournement. Bien qu'il croie qu'Anderson, en bon franc-maçon fanatique, a contribué à dissimuler la véritable identité de Jack l'Éventreur (en vérité, une triple identité), il met au jour des éléments qui permettent d'exclure sa participation directe aux crimes. Knight conclut que le troisième homme ne saurait être en réalité que Walter Sickert.

Ce dernier n'aurait pu acquérir une connaissance aussi complète des crimes et de leurs circonstances qu'en y participant. Le motif de Sickert est évident : la survie et la protection du nourrisson, descendance illégitime d'Eddy, et, des années plus tard, mère du propre fils de Sickert. Knight suppute que la cabale maçonnique ait pu le contraindre par la menace.

Une autre théorie aussi populaire que celle de Knight veut que Jack l'Éventreur ait été en réalité le prince Eddy, atteint de syphilis, dont la raison chancelante aurait été définitivement pervertie par la maladie. Un autre scénario offre une synthèse des deux théories, en plaçant Sickert sur les lieux du crime, mais en tant que « baby-sitter » d'Eddy, victime royale d'une espèce de contrôle mental maçonnique. Dans cette version des faits, Sickert apparaît doublement coupable : il est à la fois complice des assassinats, et complice de la manipulation psychique de son ami et disciple.

La mauvaise conscience de Sickert l'aurait poussé à se décharger de sa faute aux yeux de son fils (au détriment d'Anderson), mais également à joncher les scènes de crime d'indices impliquant la franc-maçonnerie en général et Gull en particulier, comme par exemple le graffiti mettant en cause les « Juwes ». Tous ces indices furent éliminés ou dissimulés par des francs-maçons censés enquêter sur les meurtres. Sickert aurait à son tour contre-attaqué en incluant d'autres indices dans un certain nombre de ses derniers tableaux. Il avait coutume de dire que certaines de ses œuvres étaient inspirées de l'Éventreur, ou de feu son amie Marie Kelly.

« C'était un homme étrange, avoue Joseph, le fils de Sickert, à la fin de l'ouvrage de Knight. Il lui arrivait de pleurer soudain, sans raison, horriblement ému par un souvenir surgi d'un lointain passé. »

Sources principales

Jack The Ripper : The Final Solution, Stephen Knight, Granada Publishing, 1977.

The Complete Jack The Ripper, Donald Rumbelow, Graphic Society, 1975.

The Brotherhood, Stephen Knight, Acacia Press, 1984.

La famille de Manson

De nos jours, après des décennies de Bundys, de Dahmers, de Ramirez, de *Son of Sam*[1], de massacres au McDonalds, et de cadavres sans tête retrouvés dans des boîtes de strip-tease (un univers infini d'horreurs abjectes se déversant de nos téléviseurs), il est difficile de saisir l'impact des crimes de Charles Manson. En regard de nos critères contemporains, ils semblent relever de la pure routine : cinq personnes tuées en une nuit, deux la nuit suivante. Armes blanches et armes à feu. Des lettres de sang étalées sur les murs. Peut-être même une petite séance de dégustation du sang des victimes, en prime. Change de chaîne, chérie, je crois que les Bleus jouent ce soir.

Le 9 août 1969, un groupe d'adeptes du culte de Charles Manson s'introduisait dans une maison sise au 10050 Cielo Drive, dans le quartier de

---

1. Carl M. Bundy, Jeffrey Dahmer, Richard Ramirez, David Berkowitz, dit « Son of Sam » : tueurs en série américains de la seconde moitié du XXe siècle. *(N.d.T.)*

Benedict Canyon, à Beverly Hills. Les locataires de cette maison n'étaient autres que le réalisateur Roman Polanski et sa sublime épouse alors enceinte, l'actrice Sharon Tate. Les intrus ne s'en allèrent qu'après avoir massacré les cinq personnes qui s'y trouvaient (Polanski était alors à l'étranger).

L'Amérique n'était pas prête à de telles horreurs. Dès le lendemain, la « famille » de Manson élimina de façon similaire le magnat des grandes surfaces Leno LaBianca et son épouse, et, depuis, un léger vent de panique n'a cessé de souffler sur les États-Unis. Même par la plus calme et la plus agréable des nuits d'été, on peut sentir le mal rôder. Peut-être même nous guetter.

Mais pourquoi ces crimes ?

Vincent Bugliosi, le procureur qui mit Manson et sa « famille » d'assassins (des femmes, en majorité) derrière les barreaux pour le restant de leurs jours, a établi un mobile, qu'il expose dans son livre *Helter Skelter*. Ces mots, écrits avec le sang des victimes sur tous les lieux de crime, était, outre le titre d'une chanson des Beatles, le terme dont usait Manson pour parler de « guerre raciale ». Il espérait en effet que les carnages auxquels se livraient ses adeptes seraient imputés aux militants pour les droits des Noirs américains, déclenchant ainsi un conflit apocalyptique.

Selon la vision prophétique et raciste de Charles, les Noirs, physiquement supérieurs, gagneraient la guerre mais, mentalement inférieurs, se trouveraient incapables de gouverner les ruines qui résulteraient du conflit. Charles et sa « famille » sortiraient alors de leur abri souterrain caché en plein désert pour s'emparer du pouvoir.

Charles était lui-même convaincu de son scénario, improbable croisement de mauvais film de série B et de bigoterie d'extrême droite. Mais même le Magicien (comme l'appelait Dennis Wilson, membre des Beach Boys et jadis protecteur de Manson) reconnut que « Helter Skelter » n'était pas le véritable motif des massacres. Bugliosi confie s'être basé sur « Helter Skelter » pour son accusation simplement parce que la police de L. A. n'avait pas trouvé de piste plus concluante. De toute façon, cela n'avait pas grand sens : si Manson avait voulu provoquer une guerre raciale, pourquoi s'être arrêté après deux nuits de bain de sang ?

Comme l'a souligné une de ses disciples, chaque acte de Manson était motivé par ses intérêts égoïstes. Et en effet, les mobiles évidents de tous les meurtres qu'il a commis ou ordonné de commettre étaient directement liés au trafic de drogue auquel il participait, quand il ne s'agissait pas tout simplement d'éliminer de potentiels informateurs.

Si c'est bien grâce à la formule « Helter Skelter » que Bugliosi envoya Manson et associés en prison, le procureur se doutait que toute l'affaire ne se résumait pas qu'à cet élément de l'enquête. Dans l'épilogue de son best-seller, il note que Manson aurait été lié à la Process Church of the Final Judgement, culte satanique dont le chef, Robert Moore (connu également sous le pseudonyme de « DeGrimston »), pérorait dans un style « manso-nesque » en diable.

Lorsque Bugliosi demanda à Manson s'il avait entendu parler de Moore, il lui répondit sèche-ment : « Vous l'avez en face de vous. Moore et moi sommes une seule et même personne. »

Peut-être préoccupée par son image, la Process Church dépêcha deux représentants de son chapitre de Cambridge (Massachusetts) dans le bureau de Bugliosi, à Los Angeles. Ils eurent une conversation aimable et polie avec le jeune procureur, mais Bugliosi trouva plus tard leurs noms inscrits sur le registre des visites de la prison où était enfermé Manson, le jour même de leur entrevue. Bugliosi ne parvint jamais à découvrir ce dont ils avaient bien pu discuter, mais à chaque fois qu'il aborda le sujet de la Process Church avec le criminel condamné à perpétuité, celui-ci se terra dans un silence absolu.

L'enquête de Bugliosi fut limitée par les contraintes propres à un procès de cette nature. Ce ne fut pas le cas d'Ed Sanders et Maury Terry, journalistes d'investigation, qui purent en toute liberté reconstituer l'arbre généalogique de la « famille » de Manson. Sanders écrivit *The Family*, l'ouvrage le plus complet à ce jour sur Manson, et Terry, environ dix ans plus tard, fut l'auteur de *The Ultimate Evil*, dans lequel il rapproche Manson (quoique indirectement) des meurtres de « Son of Sam » à New York.

Ces deux journalistes sont convaincus que le véritable motif du massacre de Sharon Tate et de ses amis (et probablement de celui de LaBianca et de son épouse) est en réalité une sombre histoire de trafic de drogue. Sanders et Terry pensent également d'un commun accord que Manson sous-traitait son culte à une plus haute autorité. La véritable cible dans l'affaire Tate aurait été en vérité Vojtek Frykowski, play-boy et dealer de LSD de grand renom. Frykowski, ainsi que sa petite amie Abigail Folger (issue de la dynastie Folger, magnats du café) et Jay Sebring (coiffeur pour stars hollywoo-diennes) furent massacrés aux côtés de Sharon Tate.

Selon certaines sources, il semblerait que Rosemary LaBianca eût également été liée au trafic de LSD. Son époux, magnat de la grande distribution, avait de son côté contracté d'assez grosses dettes de jeu.

« Vous ne pensez pas que ces gens méritaient de mourir ? » lâcha Manson à un journaliste qui l'interviewa des années après les faits. « Ils étaient impliqués dans des affaires de pornographie et de pédophilie. »

Les films porno ont toujours été des produits potentiellement très lucratifs et, pédophilie ou non, il est très probable que l'entourage de Sharon Tate ait été mêlé à un projet de ce type. Le problème, c'est qu'aucun film n'a jamais été retrouvé.

Certaines personnes autorisées ont déclaré publiquement que la maison sise au 10050 Cielo Drive était une sorte de studio porno insonorisé. Terry Melcher, producteur ayant refusé de signer avec Manson du temps où celui-ci rêvait d'une carrière de chanteur folk-rock, avait vécu dans cette maison. Dans l'autobiographie de sa mère, l'actrice Doris Day, il dit avoir eu vent d'au moins une « orgie » filmée dans son antre. Sharon Tate faisait partie de la distribution. D'autres célébrités d'Hollywood sont censées apparaître dans les frasques immortalisées à Cielo Drive, beaucoup d'entre elles s'illustrant dans des scènes sado-maso.

Il semble que les films mêlant sexe et violence sanguinolente non simulée représentent un loisir très populaire (et peut-être une source de revenus) pour beaucoup d'excentriques. L'un des informateurs de Sanders prétend avoir visionné un extrait de film où l'on pouvait voir des membres de la « famille » de Manson sur une plage, dansant autour d'un cadavre décapité. La rumeur veut également que des jeunes filles en tenue légère, adeptes de Manson, aient été filmées en train de boire du sang et de sacrifier des animaux.

Maury Terry pense que l'un des meurtres de « Son of Sam » fut enregistré et qu'un des cameramen fut assassiné lorsque les disciples du tueur en série réussirent à mettre la main sur la cassette vidéo. Terry avance également qu'un autre cadreur ayant participé à cette sordide production fut le meurtrier que l'on surnomma « Manson II », identifié plus tard comme William Mentzer et jugé pour homicide. À la fin des années soixante, Mentzer fréquentait les mêmes cercles que Manson, où se mêlaient sexe, drogue et pornographie, et il connaissait Abigail Folger.

Terry cite ensuite, de façon plus ou moins apocryphe, une « personne appartenant aux services de renseignements » qui déclare : « Nous avons découvert qu'il [Mentzer] est l'auteur d'un des meurtres de "Son of Sam". »

Il semblerait du reste que les services de renseignements se soient autant intéressés à Manson II qu'au Manson original. Deux jours après le massacre de Cielo Drive, Charles Manson fut identifié au volant d'une luxueuse Mercedes noire appartenant à l'un des plus gros dealers de LSD, dont le patron – le pape de l'industrie du LSD – était supposé être, selon Terry, « un Israélien très lié aux services de renseignements ».

Une telle description, même succincte, ne peut qu'évoquer aux esprits friands de conspirations le nom de Ronald Stark, le magnat international du

LSD de la fin des années soixante. Bien qu'il ne fût pas franchement israélien, Stark était un polyglotte accompli et passait souvent pour un étranger. Ses liens avec la CIA étaient si évidents qu'un juge italien rendit un non-lieu dans un lourd procès, au motif de sa collaboration avec cette même agence gouvernementale américaine. Enfin, à l'époque où Manson hantait la côte ouest, Stark était le plus grand trafiquant d'acide de la région.

La police de Los Angeles était loin d'être la seule institution à enquêter sur le massacre de Cielo Drive. Il semblerait que toutes les cellules du FBI se soient également penchées sur cette affaire. De même que les renseignements israéliens, toujours selon Terry.

Étonné par le grand intérêt de toutes ces agences, Sanders se demande « si la Process Church n'était pas en réalité une couverture pour quelque opération des services secrets ».

De telles hypothèses relèvent bien évidemment de la plus pure spéculation, et en l'absence d'enquête décisive, les théories de nature similaire se sont multipliées au sujet de Manson. L'ancien *district attorney* du comté d'Inyo (Californie), Frank Fowles, s'intéressa à la piste des liens unissant Manson à la Process Church (Manson entra probablement dans l'orbite du culte à San Francisco et, selon certaines sources, s'y joignit), mais également au Tueur du Zodiaque *(« the Zodiac Killer »)* de la baie de San Francisco. Avec à son actif un nombre indéterminé de meurtres, le Tueur du Zodiaque ne fut jamais arrêté. Il (ou ils) envoya à la police un certain nombre de lettres provocatrices, empreintes d'obscures références cryptographiques, aux propos pour le moins décousus. Quelques années plus tard, « Son of Sam » optait pour un style épistolaire très similaire.

Quelle qu'ait été la véritable identité du ou des commanditaires des meurtres de Manson, il (ou ils) peut se vanter de son triste impact sur les mentalités, au-delà de la simple atrocité des crimes.

« La "famille" de Manson semble s'être attaquée aux plus grandes qualités de toute une génération, écrit Ed Sanders, son sens du partage et de la confiance, sa musique et ses couleurs vives, son amour de la nature et de la beauté sauvage de l'Amérique, sa soif de nouveaux horizons sociaux, sa conscience précoce de l'importance de l'écologie. Se pourrait-il que ce petit groupe de personnes ait à lui seul posé cette clef de voûte, horrible et ignominieuse, au faîte de cette décennie bâtie sur des promesses d'avenir aussi belles et aussi puissantes ? »

Richard Nixon et John Edgar Hoover, avec l'aide de la CIA, n'auraient pas pu mieux faire.

Sources principales

Le Tuerie d'Hollywood, Vincent Bugliosi et Curt Gentry, J'ai lu, 1993.

Raising Hell : An Encyclopedia of Devil Worship and Satanic Crime, Michael Newton, Avon Books, 1993.

The Family, Ed Sanders, Signet Books, 1989.

The Manson File, Nicholas Shreck, Amok Press, 1987.

The Ultimate Evil, Maury Terry, Dolphin Books, 1987.

Les Illuminati :
esprits éclairés ou illuminés ?

Lorsqu'on s'intéresse aux Illuminati, la frontière entre histoire et hystérie se brouille.

Si l'on tente de les replacer dans leur contexte historique, en observant un semblant de rationalité, les Illuminati de Bavière, le plus renommé des groupes ayant adopté cette appellation, représentèrent l'une des nombreuses manifestations de l'esprit des Lumières qui conquit l'Europe au XVIIIᵉ siècle, et dont l'objectif était d'éradiquer définitivement tout vestige de la pensée monarchique et féodale qui, durant des siècles, avait cantonné l'humanité dans les ténèbres de l'ignorance. De ce point de vue, les Illuminati étaient aussi bien les produits que les artisans de leur époque.

Pourtant...

Adam Weishaupt, fondateur aussi brillant qu'impétueux de cette société secrète, était un jeune professeur de droit de vingt-six ans à l'université d'Ingolstadt lorsqu'il rejoignit la franc-maçonnerie en 1774, et se chargea presque aussitôt d'établir les grandes lignes d'un plan utopique visant à réintégrer l'humanité dans un état de nature universel, définitivement libéré des contraintes de toute forme d'autoritarisme, si ce n'est d'autorité. Pour ambitieux qu'il fût, Weishaupt était également assez réaliste pour savoir qu'il aurait besoin d'un groupe de complices dévoués à sa cause pour mener à bien ce coup de génie ultraconfidentiel.

Son rejet systématique de tout système de croyances normatif poussa le jeune Adam à devenir une sorte d'occultiste, principalement porté sur les mystères de la Grèce antique. Bien que personne ne sache parfaitement de quoi il retournait dans ces cultes – ils étaient, après tout, « mystérieux » par définition –, Weishaupt dénicha assez d'éléments pour calquer la structure de sa société secrète sur la leur. Avec l'aide de cinq comparses recrutés dans une loge maçonnique prestigieuse où son influence n'avait cessé de croître, le 1er mai 1776 (date rétrospectivement suspecte s'il en est), Weishaupt inaugura l'Ordre des perfectibilistes, plus connu comme les Illuminati de Bavière.

Bien que Weishaupt bénéficiât de quelque crédit, il était loin d'être un ténor de la franc-maçonnerie. C'est comme à son habitude très habilement qu'il pallia ce relatif manque d'influence. Il mit au point un plan astucieux qui lui assura la participation active d'un certain Adolf Francis, plus connu sous le titre de Baron Knigge, qui, vers 1780, était l'un des francs-maçons les plus puissants du Vieux Continent. Depuis des années, le Baron vouait tous ses efforts à l'unification de toutes les loges européennes en une seule et même entité, une gigantesque toile d'araignée tissée de subterfuges. Grâce au talent organisationnel de Knigge, les Illuminati furent bien vite plus de trois mille, chaque nom appartenant à la crème des crèmes maçonniques, tous dévoués à ce qui pourrait être considéré comme le projet d'un coup d'État non-violent de l'élite de la franc-maçonnerie européenne.

En Europe, la franc-maçonnerie jouissait d'une tradition de refuge pour les libres-penseurs, intellectuels et hommes politiques, et ceux qui recherchaient leur compagnie. Dans ce vivier, les Illuminati recrutaient les plus dévoués et les plus puissants, avant de les passer au crible de rites initiatiques plus exigeants et ésotériques encore que ceux de la franc-maçonnerie traditionnelle. Cette procédure permettait principalement à Weishaupt et aux autres dirigeants de l'ordre de s'assurer de l'allégeance des nouveaux membres. Les Illuminati devinrent de la sorte une cellule révolutionnaire dont l'influence dépassait de loin ses effectifs.

Hélas, comme tant d'autres sociétés secrètes, les Illuminati eurent beaucoup de mal à rester dans l'ombre du secret. Au milieu des années 1780, à la suite des indiscrétions de certains transfuges ayant révélé des informations sensibles au sujet de Weishaupt, les Illuminati furent expressément déclarés « organisation hors la loi », et les forces de l'ordre fondirent sur leur nouvelle proie. Weishaupt et d'autres dirigeants se réfugièrent dans des provinces voisines. Voire peut-être plus loin.

C'est à ce tournant de l'histoire que nous perdons la trace d'Adam Weishaupt. Robert Anton Wilson, auteur *new age* parodique, a suggéré (bien évidemment satiriquement) que Weishaupt aurait rejoint l'Amérique où il aurait cessé ses activités pour devenir le premier président des États-Unis, fervent franc-maçon et fumeur de chanvre. Il n'est pas complètement déraisonnable d'imaginer que George Washington et Weishaupt, qui partageaient les mêmes manies, étaient en fait un seul et même homme. Après tout, cette théorie n'est pas plus mauvaise que les légions d'histoires que continue de générer, encore de nos jours, l'histoire des Illuminati. Presque aussitôt après leur dissolution forcée, la rumeur commença à colporter le bruit que les élitistes subversifs réunis derrière la bannière de Weishaupt continuaient leur œuvre sournoise. Selon l'un des plus grands classiques de la littérature conspirationniste, *Proofs of a Conspiracy*, publié quatorze ans après que les Illuminati eurent poussé leur supposé dernier soupir, les compagnons de Weishaupt prirent le nom d'Union allemande et jouèrent un rôle décisif dans la Révolution française, voire la provoquèrent tout bonnement. À ce titre, il est bon de se rappeler que la devise « Liberté, Égalité, Fraternité » est explicitement maçonnique.

Dans son merveilleux et délirant ouvrage à ce sujet, *The Illuminoids*, Neil Wilgus rapporte que George Washington, quelle qu'ait été sa réelle identité, lut les *Proofs of a Conspiracy* et considéra que les accusations qui y étaient exposées devaient être prises très au sérieux. Wilgus précise cependant que les loges maçonniques américaines ne se mêlèrent jamais aux disputes et querelles de leurs « frères » européens. Thomas Jefferson, un autre franc-maçon (au même titre que l'écrasante majorité des Pères fondateurs des États-Unis) était un grand connaisseur des écrits de Weishaupt, qu'il admirait profondément. Il avait coutume de dire que, au vu du despotisme qui dominait encore toute l'Europe, il n'avait aucune difficulté à comprendre le penchant des libres-penseurs allemands pour le secret. Toujours selon l'auteur de la Déclaration d'indépendance des États-Unis, si Weishaupt avait vécu en Amérique, il « n'aurait eu besoin d'aucune cabale » pour propager son idéologie.

Les Illuminati de Weishaupt sont devenus la « conspiration à tout faire » par excellence, la théorie qui explique tout et s'applique dans tous les cas. Certaines versions font de Franklin Delano Roosevelt un initié. Après tout, c'est bien sous la présidence de Roosevelt que l'œil maçonnique apparut au sommet de la pyramide sur la monnaie américaine.

Une théorie, qui relève selon toute vraisemblance de la plus pure légende urbaine, et selon laquelle Charles Manson aurait été en possession d'une carte de membre du club des Illuminati, fut exposée sur le plateau de l'Oprah Winfrey Show.

On ne peut par ailleurs s'empêcher de se demander si l'histoire des Illuminati n'a pas été fabriquée de toutes pièces. Est-il possible qu'un « Adam Weishaupt » ait jamais existé ? Son nom même sent la supercherie à plein nez : « Adam », le premier homme, et « Weishaupt », qui peut se traduire par « tête sage ». Un joli nom de scène pour le supposé instigateur d'une révolution mondiale.

Bien que les autorités de toute sorte s'accordent sur le fait qu'un individu répondant à son nom a un jour foulé le sol de notre planète (avec un destin peut-être pas aussi spectaculaire que celui qu'on lui prête), il va sans dire que Weishaupt est un personnage mythique, à l'instar de JFK, John Dillinger[1], Hitler, Casanova, ou Babe Ruth[2]. Une sorte de métaphore vivante. Mais une métaphore de quoi ?

Wilgus a sur cette question l'approche la plus sensée. Il ne s'attache pas à l'histoire des Illuminati,

---

1. Gangster durant la Grande Dépression. *(N.d.T.)*
2. George Herman Ruth, mythique joueur de base-ball. *(N.d.T.)*

mais à celle des « illuminoïdes », néologisme désignant les personnes « semblables aux Illuminati ». De tout temps, l'illumination a été l'une des plus grandes obsessions de l'humanité. Les Illuminati de Bavière, Weishaupt à leur tête, malgré l'énorme publicité dont ils continuent à bénéficier, ne sont que des représentants assez mineurs d'une tradition qui remonte probablement à la préhistoire, lorsqu'un chaman épouvanta sa tribu en faisant du feu avec du silex et des branches. Cet homme ou cette femme avait littéralement « vu la lumière ». La quête de l'illumination peut s'avérer aussi néfaste que bienfaisante. La Force a toujours son côté obscur. Et à en croire la plupart des réactionnaires de notre planète, convaincus d'être du bon côté, l'histoire a été jalonnée d'une véritable légion de Dark Vador. Si l'on observe le phénomène sous un autre angle, toutefois, on peut considérer les « illuminoïdes » comme des représentants de notre espèce insatisfaits de leur lot quotidien sur cette boule d'argile qu'est la terre, à la recherche de solutions à nos problèmes, que ce soit dans les cieux, en eux, ou n'importe où ailleurs.

Les mystères grecs qui inspirèrent Weishaupt ont probablement été les premières manifestations d'une illumination organisée. Puis vinrent la kabbale hébraïque, le gnosticisme chrétien et le soufisme musulman, ainsi qu'une infinité de cultes et de sociétés secrètes, des terrifiants Haschischins (d'où vient le mot « assassin ») et des Templiers au destin maudit, jusqu'à de plus petits groupes dont certains (en Espagne ou en France) avaient pris le même nom d'« Illuminati ».

L'organisation de Weishaupt s'inscrit parfaitement dans cette liste loin d'être exhaustive.

La fin fracassante des Illuminati de Bavière n'a pas empêché le flambeau de se transmettre. Des sociétés occultes telles que l'Ordo Templis Orientis d'Aleister Crowley ou l'Église de Satan d'Anton LaVey, sans doute les héritiers les plus sinistres de Weishaupt, n'ont pas cessé d'alimenter la paranoïa d'une certaine branche du christianisme qui gaspille une énergie précieuse en vitupérant le « satanisme ». Mais qui aurait le front de les traiter de fous ? Qui est Satan, si ce n'est *Lucifer*, l'ange déchu, « celui qui apporte la lumière » en latin ? En somme, le premier des Illuminati.

Sur un plan plus convenable, on trouve le concept d'illumination à la base même de l'existence de l'« establishment », classe dirigeante qui se considère investie de la tâche de guider une partie de l'humanité (si ce n'est son ensemble), et plus encore à la base des institutions de l'establishment : le Council on Foreign Relations (CFR, ou Conseil sur les relations étrangères), la Commission trilatérale (avec son logo triangulaire pour le moins suspect), et le groupe Bilderberg. Ces organisations non gouvernementales composées de sommités « éclairées » venant d'horizons divers (affaires, politique, recherche...) ont une considérable influence sur le devenir géopolitique de la planète, et ce malgré les dénégations de leurs membres. Le CFR est le digne héritier américain de la Table ronde britannique organisée par Cecil Rhodes. Le Conseil a compté dans ses rangs la plupart des présidents et des secrétaires d'État de ces soixante dernières années. Henry Kissinger y fut introduit en qualité de jeune et brillant universitaire, et le CFR publia son audacieux ouvrage *Les Armes nucléaires et la politique étrangère (Nuclear Weapons and Foreign Policy)*, dans lequel Kissinger avance pour la première fois la possibilité de « sortir victorieux » d'une guerre nucléaire.

Dès sa naissance en 1947, la CIA fut liée au CFR. Les dirigeants de l'agence gouvernementale présentent encore de nos jours des comptes rendus non officiels lors des réunions du CFR. La Commission trilatérale, fondée par le demi-dieu de la finance internationale David Rockefeller, est pour sa part un avatar du CFR qui, contrairement à lui, inclut le Japon. L'appartenance à l'une des deux organisations implique très souvent l'appartenance à l'autre, et lorsque Jimmy Carter, membre de la Commission trilatérale, devint président, de nombreux conspirationnistes s'alarmèrent grandement.

Le groupe Bilderberg, basé aux Pays-Bas, est bien plus nébuleux, mais fonctionne sur les mêmes principes et avec les mêmes membres. Seule différence notable : l'accent européen.

Selon les croyances anti-Illuminoïdes, le but de ces groupes d'élites est d'affermir leur contrôle par le biais d'un « gouvernement mondial », c'est-à-dire en instituant un « nouvel ordre mondial ». Singulière coïncidence, la décoration de la « salle de méditation » du siège des Nations unies est directement inspirée du motif « illuminato-maçonnique » de l'œil au sommet de la pyramide. S'agirait-il d'un indice sarcastique destiné à ceux qui, parmi nous, n'auraient pas encore compris de quoi il retournait, à l'instar des nombreuses déclarations publiques de George Bush (Sr), toujours prompt à exprimer son enthousiasme quant à la création d'un nouvel ordre mondial ? On prétend que la photographie préférée de l'ancien président est celle où l'on peut le voir dans un lit d'hôpital, entouré par de jeunes enfants, une pyramide sur les genoux (vous avez dit « rite de fertilité » ?). S'il ne s'agit que d'une légende, cette photo est du moins la préférée des conspirationnistes. Rappelons au passage que le rite d'entrée de la société secrète universitaire Skull and Bones[1] à laquelle Bush appartint voulut qu'il se couche nu dans un cercueil et qu'il s'y masturbe.

---

1. « Crâne et Os », société secrète estudiantine de l'université américaine de Yale. *(N.d.T.)*

Quelle que soit l'apparence qu'ils choisissent, les Illuminati sont partout. Pour les débusquer, il suffit simplement de vouloir les trouver. James Shelby Downard, enquêteur conspirationniste aussi génial que fou, a vu dans l'assassinat de Kennedy leur ouvrage crypto-maçonnique.

Dans sa fascinante monographie intitulée *Saucers of the Illuminati*, Jay Katz (pseudonyme de Jim Keith) soutient que les Illuminati seraient la force rien de moins que terrienne à l'origine des phénomènes ufologiques, alors que William Bramley, dans son livre *Gods of Eden*, avance très pertinemment la thèse selon laquelle les chefs suprêmes Illuminati seraient en réalité des extraterrestres, théorie illustrée de façon bien moins rigoureuse par un grand nombre de fanatiques, de l'ultraconspirationniste Bill Cooper à Elizabeth Clare Prophet, prêtresse et chef spirituel lourdement armé de la secte millénariste Church Universal and Triumphant, basée dans le Montana.

Comparé à tout cela, Adam Weishaupt et son équipe de rats de bibliothèque révolutionnaires ne font pas le poids.

Sources principales

Proofs of a Conspiracy, John Robinson, Western Islands Press, 1967.

The Illuminoids : Secret Society and Political Paranoia, Neil Wilgus, Sun Books, 1978.

Saucers of Illuminati, Jim Keith, IllumiNet Press, 1999.

Gods of Eden, William Bramley, Avon, 1993.

Les enfants du Christ

La mystérieuse organisation française connue sous le nom de Prieuré de Sion pourrait être une société secrète en possession depuis plus de neuf cents ans de la preuve que Jésus aurait survécu à sa crucifixion. Qui plus est, elle pourrait également être la dépositaire de l'histoire secrète de l'Europe, ainsi que des annales confidentielles de la chrétienté. Mais il se pourrait aussi bien qu'il ne s'agisse que d'un canular extrêmement élaboré. Dans tous les cas, la légende du Prieuré de Sion est à l'origine d'un best-seller, publié en 1982, *Holy Blood, Holy Grail*, écrit par Henry Lincoln, réalisateur de documentaires à la BBC, et les historiens Michael Baigent et Richard Leigh.

Lincoln et ses collaborateurs se proposèrent de relater l'une des plus mystérieuses énigmes françaises, celle de Rennes-le-Château, petit village du fin fond des Pyrénées. La légende veut que, sous ses ruelles pavées, Rennes-le-Château recèle un fabuleux trésor. Les autochtones sont fortement enclins à penser que le magot aurait appartenu aux cathares, hérétiques chrétiens décimés avec l'approbation de l'Église catholique romaine au XIIIe siècle. Pèlerins *new age* et occultistes de tout poil y mènent leurs randonnées afin de s'imprégner de l'énergie spirituelle censée baigner le village, les chasseurs de trésor en arpentent le moindre recoin en quête de biens plus matériels, tandis que d'autres s'intéressent aux sources de la fascination pour les ovnis dont la petite bourgade est une des capitales européennes.

Toutes les théories ont un socle commun : l'histoire de l'abbé Bérenger Saunière, abbé de la seconde moitié du XIXe siècle qui valut à Rennes-le-Château sa réputation de centre mystique. C'est à cette histoire que s'attachent en premier lieu Lincoln, Baigent et Leigh.

Tout commence en 1885, lorsque l'Église catholique assigne à Saunière (bel abbé de trente-trois ans, bien éduqué quoique provincial) la paroisse de Rennes-le-Château. Saunière entreprend de restaurer la petite église du village, sise au sommet de la bourgade, sur un site qui fut considéré comme sacré par les Wisigoths au VIe siècle après Jésus-Christ. Sous l'autel, dans un pilier creux wisi-gothique, le jeune curé découvrit une série de parchemins : deux généalogies, datant de 1244 et de 1644, ainsi que des documents plus récents, de la main d'un chanoine des années 1780. Selon

Lincoln et ses deux collaborateurs, ces derniers documents avaient été codés afin de dissimuler les secrets qu'ils recelaient, certains codes apparaissant comme « incroyablement complexes, défiant même les capacités de déchiffrage d'un ordinateur ».

Saunière rapporta cette découverte à l'évêque de Carcassonne, qui dépêcha l'abbé à Paris, où des prêtres plus érudits étudièrent les parchemins. L'un des codes les plus aisément déchiffrables dissimulait la phrase : « À Dagobert II Roi et à Sion est ce trésor, et il est là mort. »

Quel que fût le sens de ces paroles décousues, elles ouvrirent à l'abbé Saunière les portes d'un monde nouveau : le grand monde. Durant son court séjour à Paris, il se mit en effet à fréquenter l'élite culturelle de la capitale, dont une grande partie se piquait d'occultisme. La rumeur de l'époque veut que le prêtre de campagne eût une aventure avec Emma Calvé, diva adulée par les amateurs d'opéra, et grande prêtresse du landernau ésotérique parisien. Elle lui rendit souvent visite à Rennes-le-Château par la suite.

De retour à sa paroisse, Saunière continua les travaux de restauration de l'Église, et mit au jour une crypte qui, dit-on, contenait des squelettes. C'est à partir de ce moment que son goût pour la décoration intérieure prit un tour très « particulier », dirons-nous. Parmi ces aménagements excentriques, on peut citer le bénitier porté par un diable rouge grimaçant, et un bas-relief tout aussi criard représentant Jésus au sommet d'une colline, au pied de laquelle on peut voir un objet ressemblant à un sac empli de pièces. Les stations de la Croix possèdent elles aussi leurs singularités. Sur l'une d'elles, représentant une scène nocturne, on ne parvient pas à savoir si des personnages déposent le corps du Christ dans son tombeau, ou s'ils l'en font sortir subrepticement. Saunière fit également figurer un certain nombre de messages codés à même les ornements de l'église. Il consacra une véritable fortune à la rénovation du village, et développa un goût extravagant pour la porcelaine précieuse, les antiquités d'art et autres objets très coûteux. Où et comment il parvint à se procurer la manne apparemment intarissable qui lui permit ces achats, nul ne le sait : il refusa obstinément d'expliquer ce mystère aux autorités ecclésiastiques. Il mourut en 1917, censément sans le sou, mais son ancienne gouvernante parla plus tard d'un « secret » qui rendrait celui qui le découvrirait aussi riche que « puissant ». Malheureusement, elle ne le révéla jamais.

Bien qu'ils n'aient pas trouvé la moindre trace de trésor, Lincoln et ses coauteurs avancent que Saunière a pu exhumer le butin de *quelqu'un* : peut-être était-ce le légendaire magot des cathares, ou peut-être le pactole des Wisigoths, à moins que ce ne fussent les richesses légendaires des rois mérovingiens, parmi lesquels on compte le « Dagobert II » mentionné dans l'un des parchemins codés, et qui régnèrent sur la région entre le Ve et le VIIIe siècle. Peut-être était-ce la somme de ces trois trésors. Peut-être même s'agissait-il d'un trésor au sens figuré du terme, une information secrète et taboue dont Saunière se serait servi pour faire chanter quelqu'un, ou un groupe de personnes. Disons, à tout hasard, l'Église catholique romaine.

Ce que Lincoln et ses collaborateurs ont découvert au cours de leur enquête sur l'abbé Saunière est loin d'être aussi troublant que ce genre de théorie, quoique tout aussi mystérieux : derrière l'affaire se cacherait une volonté délibérée de promouvoir « discrètement et irrépressiblement » la légende de Rennes-le-Château.

Au centre de cette campagne secrète, ils trouvèrent un personnage énigmatique et cette fois-ci bien réel : Pierre Plantard de Saint-Clair, apparemment à l'origine des écrits les plus récents concernant la bourgade pyrénéenne et son singulier abbé. Guidés jusqu'à la Bibliothèque nationale de France, notre trio d'investigateurs historiques découvrit une généalogie liant de façon assez désarçonnante Pierre Plantard au roi Dagobert II et, partant, à la dynastie mérovingienne. On n'aurait donc pas affaire au tout-venant de la noblesse française en la personne de Monsieur Plantard, les Mérovingiens ayant été considérés à leur époque comme des rois guerriers mythiques investis de pouvoirs surnaturels. Mais cela n'est qu'un détail de l'impressionnant pedigree de Plantard. Nous y reviendrons par la suite.

Dans les *dossiers secrets*[1] qu'ils consultèrent à la Bibliothèque nationale, les trois chercheurs trouvèrent un certain nombre de références historiques à une ancienne et mystérieuse société secrète, le fameux Prieuré de Sion. Le nom « Sion », que l'on retrouve dans divers messages codés relatifs à Rennes-le-Château, semble se référer au mont Sion à Jérusalem, site où se serait dressé le Temple de Salomon.

Selon ces mêmes dossiers secrets, le fantomatique Prieuré aurait été lié aux Templiers, cet ordre de moines guerriers qui défendit les conquêtes européennes en Terre sainte au XIIe siècle. Les Templiers tiraient leur nom de la source même de leur autorité, l'endroit où ils avaient bâti leurs quartiers, sur les ruines du Temple de Salomon. Bien qu'il ne s'agît pas de la première théorie conspirationniste présentant les Templiers comme une bande de croquemitaines occultistes, le lien supposé entre l'ordre et le Prieuré de Sion (société probablement inventée de toutes pièces) était sans précédent. Emboîtant allégrement le pas au contenu des dossiers secrets, Lincoln et ses coauteurs avan-

---

1. En français dans le texte. *(N.d.T.)*

cent que l'occulte Prieuré se serait caché derrière l'ordre des Templiers, qui lui aurait servi et de bras armé, et de vitrine officielle.

Et à en croire ces fameux dossiers secrets, il ne fallait pas sous-estimer le pouvoir secret du Prieuré de Sion. Des références à des événements historiques bien connus suggèrent que, depuis les croisades, le Prieuré aurait manipulé dans l'ombre rois et papes, au nom d'un mystérieux dessein.

Selon les pamphlets mangés aux champignons de la Bibliothèque nationale, le Prieuré aurait compté dans ses rangs des sommités telles que Léonard de Vinci, sir Isaac Newton, Charles Radclyffe, Victor Hugo et, plus récente entrée de la liste, Jean Cocteau. En tout et pour tout, près de vingt-six « grands maîtres » se succédant sur près de sept siècles !

Se pourrait-il que cette société ait survécu jusqu'à la fin du XXe siècle ? Lincoln et ses deux acolytes se renseignèrent auprès des autorités françaises, et découvrirent qu'il existait effectivement une organisation du nom de Prieuré de Sion. Et selon vous, qui en était le secrétaire général ? Pierre Plantard, bien évidemment.

Lorsque Lincoln parvint à lui mettre la main dessus, Plantard se révéla être un vieil aristocrate d'une intelligence certaine ayant joué un rôle minime dans la Résistance. L'opacité délibérée de ses propos semblait à la fois dissimuler quelque chose et encourager les investigateurs à approfondir leurs recherches.

Mais que Plantard cherchait-il à cacher, ou à révéler de manière paradoxale ? Quel était le dessein probablement sinistre qui se cachait derrière le Prieuré de Sion ?

Les trois auteurs de *Holy Blood, Holy Grail* proposèrent une théorie qui, bien qu'aussi confuse et compliquée que les « dossiers secrets » de la Bibliothèque nationale, brille par son admirable construction et sa remarquable argumentation. Y aurait-il, se demandent-ils dans leur ouvrage, un lien entre l'hérésie cathare du XIIIe siècle, Rennes-le-Château et son abbé Saunière, les Templiers et l'omniprésent Prieuré de Sion ?

Bien sûr, leur thèse n'est que pure spéculation. Lincoln et ses deux acolytes avancent que le trésor des cathares, celui des Mérovingiens et celui des Templiers (qu'ils tenaient du roi Salomon) n'étaient qu'un seul et même trésor, celui de Rennes-le-Château. Toujours selon eux, il serait passé des mains des Mérovingiens à celles du Prieuré de Sion, avant que leurs associés templiers ne le fassent sortir de Terre sainte pour le donner aux cathares qui, à la veille de leur destruction par l'Église, le cachèrent au cœur des Pyrénées.

Une autre question se pose alors : et si le « trésor » était autre chose qu'un amas de richesses matérielles ? La légende voulait en effet que les hérétiques cathares eussent en leur possession une relique aussi précieuse que sacrée, « qui selon un certain nombre de sources n'était autre que le Saint-Graal ». On raconte également que, durant la Seconde Guerre mondiale, les nazis entreprirent de nombreuses fouilles dans les environs de Rennes-le-Château, dans leur quête futile du Graal (recherches dont il est du reste question dans le film *Indiana Jones et la dernière croisade*).

Le trésor perdu catharo-mérovingiano-templier de Saunière serait-il donc le Saint-Graal des légendes arthuriennes ? En suggérant cette théorie, nos trois pionniers conspirationnistes ne voulaient pas laisser entendre que l'obscur Prieuré ne se résumait qu'à la conservation d'une relique sacrée, encore moins à une vieille coupe rouillée : leur point de vue était beaucoup plus ambitieux. Réinterprétant très audacieusement des siècles de légende, ils avancèrent que le Graal des romans de chevalerie pourrait n'être qu'une référence métaphorique à quelque chose de beaucoup plus controversé : en substance, la descendance du Christ.

C'est à ce moment de leur argumentation que Lincoln et ses coauteurs plongent définitivement dans la vague conspirationniste. Empruntant à Hugh J. Schonfield la thèse qu'il proposa dans son ouvrage *Le Mystère Jésus* pour l'appliquer aux indices énigmatiques de Plantard, les trois auteurs façonnent une théorie, disons « osée », pour rester dans l'euphémisme. Dépouillée de ses élégants syllogismes, elle peut être résumée de la sorte : Jésus-Christ survécut plus ou moins allégoriquement à la crucifixion, ou bien en « simulant » sa mort, ou bien en procréant avant le Vendredi saint, laissant dans les deux cas une progéniture. Ses descendants s'acheminèrent alors jusque dans le sud de la France, où ils se marièrent à des membres de la royauté franque, fondant par ces unions ce qui était appelé à devenir la dynastie mystique des Mérovingiens. Ainsi, la véritable mission des Templiers et du Prieuré de Sion n'aurait pas été de veiller sur le trésor des croisades, mais de défendre le Saint-Graal, mentionné dans certains textes médiévaux par la graphie « Sangraal » ou « Sangreal », que Lincoln et compagnie traduisent par « sang réal », c'est-à-dire « sang royal ». En d'autres termes, littéralement : la descendance du Christ.

Tel serait donc le stupéfiant mystère se cachant derrière la société secrète créée pour le protéger, aussi bien que derrière la légende de l'abbé Saunière. « À Dagobert II Roi et à Sion est ce trésor, et il est là mort » : qui ça, « il » ? Mais Jésus-Christ, pardi.

Et soudain, l'histoire tortueuse de l'Europe semble suivre un fil rouge aussi cohérent que dramatique : la persécution des cathares par l'Église, la complicité de Rome dans l'assassinat du roi

Dagobert, la conspiration ourdie avec succès par le pape Clément V et le roi Philippe le Bel pour supprimer les puissants Templiers, tous ces événements historiques furent autant de tentatives pour « éradiquer la descendance de Jésus ». Pour la simple et bonne raison que cette descendance constituait une Église rivale, plus directement liée à l'héritage du Christ que le Vatican.

« Vertigineux » : c'est probablement ce que vous êtes en train de vous dire. Au même titre que les implications inhérentes au pedigree mérovingien de Plantard.

Bien entendu, la seule réponse de ce dernier à ce raisonnement de virtuoses de la conspiration fut ce sempiternel sourire énigmatique à la Mona Lisa dont il avait le secret. Il ne daigna pas même marcher sur l'eau pour confirmer les dires des trois auteurs de futurs best-sellers.

Assez curieusement, dans l'ouvrage qui fit suite à *Holy Blood, Holy Grail, The Messianic Legacy*, Lincoln, Baigent et Leigh semblent adopter dans certains passages un ton d'authentiques prosélytes. Défendant le concept de « prêtre roi », ils affirment qu'un guide à la fois spirituel et politique ne serait pas forcément une mauvaise chose pour cette Europe à la dérive, et serait même une solution profitable à l'heure où les nations autrefois ennemies tentent de s'unir en une Communauté économique. Selon eux, une « Union théocratique des États d'Europe » pourrait être le meilleur des remèdes contre tous les maux qui rongent le Vieux Continent.

Pourtant, ce deuxième ouvrage s'achève sur un bémol : en effet, de nouvelles recherches ne manquaient pas de soulever de sérieux doutes quant à l'authenticité historique du Prieuré de Sion.

Derrière le voile énigmatique englobant Plantard et sa mystérieuse organisation, Lincoln et ses compagnons tombèrent sur la porte des sinistres oubliettes des conspirations modernes, et l'ouvrirent allégrement. Selon la rumeur, les documents-clefs du Prieuré supposés détailler la descendance royale de Jésus-Christ en personne auraient été escamotés de France par les services de renseignements britanniques, probablement sous les ordres de l'espionnage américain. Pourquoi ces puissances vénales souillaient-elles l'espoir de l'avènement d'un roi messianique ? D'autres éléments troublants se dissimulaient dans les coulisses de l'histoire, parmi lesquels l'implication probable de la loge crypto-fasciste P2[1], qui semble s'être réservé une place de choix dans les plus fameuses théories conspirationnistes des années quatre-vingt.

Lincoln, Baigent et Leigh auraient-ils trébuché sur un stratagème à la complexité démentielle, ourdi dans un but abstrus, peut-être au profit de l'extrême droite européenne ? Plantard ne serait-il

---

[1]. Voir au sujet de la loge P2 notre chapitre « Le Parrain III : la véritable histoire ».

qu'un mythomane de génie consacrant son temps libre d'aristocrate désœuvré à une mystification ? Et, même s'il ne s'agissait pas d'un canular au commencement, le Prieuré ancestral se serait-il transformé au cours des siècles en un club privé pour le gratin des services de renseignements ? Le Graal n'était-il qu'une coupe poussiéreuse emplie de poudre de perlimpinpin ?

Au cours des années quatre-vingt, les deux ouvrages firent vibrer la corde sensible un peu partout en Occident. Le clergé américain ne ménagea pas ses efforts pour s'opposer à ce qui y était avancé, à savoir que ces siècles de dogme chrétien avaient été autant de siècles de mensonges. Malgré le fait que *Holy Blood, Holy Grail* mît au centre du cosmos les Français, le plus souvent dépréciés par le reste du monde, la plupart des contemporains et compatriotes de Plantard n'ont guère été impressionnés par les théories révolutionnaires du trio. Certains se sont même indignés que des profiteurs, étrangers qui plus est, galvaudent ainsi à l'échelle internationale leurs mystères nationaux chéris. Les Américains et les Britanniques, de leur côté, se montrèrent bien plus généreux, comme en témoigne le succès de librairie rencontré par les deux ouvrages dans leurs pays respectifs. Pourtant, dans les années quatre-vingt-dix, Lincoln lui-même sembla se lasser de ces enquêtes sans fin sur le Prieuré de Sion et son chef, Pierre Plantard, dont le goût pour le mystère confinait à la folie. « Maintenant que je suis vieux, j'ai décidé de ne plus m'en tenir qu'à ce qui peut être vérifié », maugréat-il lorsqu'on lui demanda une nouvelle mise à jour de ces recherches sur la société secrète.

Bien que désillusionné, il n'en avait cependant pas fini avec le mystérieux village qui avait été le point de départ de sa quête du Graal remise au goût du XXᵉ siècle, et de sa carrière d'auteur à succès. Dans le bel ouvrage qu'il écrivit seul, *The Holy Place*, Lincoln affirme que quoi que le village puisse être ou ne pas être, Rennes-le-Château est très certainement la « Huitième Merveille du monde », un « immense temple géométrique, se découpant du paysage à des kilomètres à la ronde ». Par contraste, le modeste avertissement qu'il fait figurer à la fin de son livre semble l'œuvre d'un hérétique converti, marqué à plusieurs reprises par le fer de la critique : « Ce livre ne prétend pas avoir résolu l'énigme. »

Sources principales

L'Énigme sacrée, Michael Baigent, Richard Leigh et Henry Lincoln, Pygmalion, 1983.

Le Message, Michael Baigent, Richard Leigh et Henry Lincoln, Pygmalion, 1987.

Le Temps retrouvé, Henry Lincoln, Pygmalion, 1991.

Le Mystère Jésus, une nouvelle approche historique du messie, Hugh Joseph Schonfield, Pygmalion, 1989.

Le suaire et les manuscrits

Le samedi 12 août 2000, Jésus revint.

Pas en personne, bien entendu. En fait, il s'agit de son image. Sans doute la plus précise qu'on ait produite de Jésus-Christ. Si vous avez acheté un billet pour Turin et réservé votre entrée pour l'exposition de deux mois qui eut lieu entre août et octobre 2000, vous avez eu la chance d'approcher le plus près possible du visage de la plus grande superstar de l'histoire de l'Occident.

Car durant ces deux mois, on sortit le saint suaire de Turin de sa boîte.

Le saint suaire de Turin n'est révélé au public que très rarement. Il fut montré en 1998, et il attira vingt ans plus tôt, en 1978, près de trois millions de pèlerins. Pour ceux qui ne le sauraient pas – *immondes païens !* –, le saint suaire est un grand drap de lin âgé d'au moins quelques centaines d'années, si ce n'est deux bons millénaires. Le tissu porte l'empreinte passée (et de plus en plus passée avec le temps) d'un homme barbu, aux cheveux longs et au nez franchement long, portant les stigmates (sur ce point, même les sceptiques les plus chevronnés s'accordent avec leurs adversaires) associés à une mort par crucifixion. En fait, ces blessures semblent très similaires à celles décrites dans cette anthologie de la littérature antique connue sous le titre de Bible, et qui selon ce même best-seller international auraient été infligées au seul, à l'unique Monsieur J.-C., bien que les plus prudents préfèrent se référer à lui comme, très prosaïquement, « l'Homme du suaire ».

Le pauvre personnage du suaire porte des marques de piqûres sur tout le tour du front, vraisemblablement laissées par une « couronne d'épines ». Le dos est quant à lui sillonné de lacérations de fouet. L'Homme du suaire porte même une blessure sur le côté droit de son abdomen, au même endroit où Jésus crucifié, selon l'Évangile de saint Jean, reçut la lance d'un soldat romain. À chacune de ces blessures, le tissu est maculé de ce qui apparaît comme de très anciennes taches de sang.

Le bon sens semble indiquer qu'il est inconcevable que le suaire soit véritablement le linceul de Jésus, comme le voudrait la croyance populaire. Cependant, le fait que le suaire soit encore de nos jours relativement intact indique que cet objet a quelque chose de spécial. La plupart des linceuls de cette époque et de sa prétendue origine géographique ne sont plus que poussière depuis des éternités. Si le suaire en question date vraiment d'il y a deux mille ans, les gens de cette époque ont dû lui apporter un soin tout à fait particulier. L'objet en lui-même soulève également une autre question tout aussi évidente : comment cette image remarquablement réaliste s'est-elle « imprimée » sur le tissu ?

L'authenticité du saint suaire de Turin a été mise en doute dès sa première « découverte ». La première mention historique de cet objet, dans une lettre de l'évêque Pierre d'Arcis datant de 1389, le présente tout bonnement comme un faux ! D'Arcis stipule même que le faussaire a été arrêté et qu'il a confessé son crime. L'évêque semble cependant passer à côté de son sujet. Quelle qu'ait été la méthode utilisée pour créer l'image du suaire – encore de nos jours, elle reste l'objet de querelles de spécialistes –, il dut s'agir d'un processus extrêmement élaboré. Étant donné l'immense popularité des reliques au Moyen Âge (reliques de Jésus en personne mais aussi de tout saint contemporain ou non du Messie), pourquoi les inventeurs de cette merveille technologique se seraient-ils arrêtés à ce suaire ? Pourquoi ne pas en avoir créé d'autres de Jésus ? Ou de Marie ? Ou de Jacques ? Ou de n'importe quel autre apôtre ? Chaque linceul se serait échangé à l'époque contre un bon gros sac de pièces d'or.

Mais il n'y en eut qu'un.

Et pour ajouter au mystère, un chercheur britannique spécialisé dans l'étude du saint suaire fit en 1960 une découverte ahurissante : la façon dont l'Homme du suaire a été inhumé fut exactement la même que celle utilisée par une petite secte judaïque du début de notre ère, à l'origine des manuscrits de la mer Morte, pour enterrer ses chers disparus.

Ces manuscrits engendrèrent un grand nombre de théories conspirationnistes basées sur l'important concept de « couverture ». Comme dans toute couverture, de puissants acteurs tentaient de protéger leurs intérêts par la dissimulation des faits. La conspiration qui nous intéresse ici relève de ce que nous aurons l'audace d'appeler des « relations publiques ». Ou, plus précisément, du « contrôle de l'image » : en l'occurrence, celle de Jésus. Était-il le calme charpentier et rabbin d'ascendance divine que nous aimons tous ? Ou était-il en vérité un révolutionnaire aux paroles aussi dures que les actes, bien plus intéressé par l'organisation d'émeutes que par la création d'une nouvelle religion ?

On trouva les manuscrits de la mer Morte probablement à l'endroit même où ils furent déposés, à la suite du soulèvement antiromain qui, au Ier siècle après Jésus-Christ, conduisit à la destruction quasi complète de Jérusalem. Ils reposaient dans des jarres qui avaient été déposées dans des grottes à flanc de falaise, non loin des ruines de l'ancien village de Qumran.

Ce hameau, dont seuls les contours subsistent, se trouve à un peu plus de 50 kilomètres de la forteresse de Masada, sise au sommet d'une colline, où un groupe de rebelles juifs avait soutenu le siège des Romains jusqu'à ce que, ayant perdu tout espoir de l'emporter, ils se passent mutuellement au fil de leur épée plutôt que de mourir aux mains de l'occupant.

Les manuscrits de la mer Morte sont un mélange plus ou moins homogène d'hébreu et d'araméen. Certains livrent des interprétations d'épisodes bibliques, d'autres sont parfaitement apocryphes. D'autres encore sont les fameux textes « sectaires » qui, par le récit de la vie quotidienne de la colonie de Qumran ainsi que de certains événements particulièrement intéressants, soulevèrent la controverse.

Bien qu'elle existât au moins depuis un siècle avant Jésus, la secte de Qumran observait des rites et une doctrine similaires à ceux de la chrétienté primitive. Ce qui contredit l'un des principes du catholicisme, selon lequel le christianisme n'existait pas avant l'arrivée en scène de Jésus. Une doctrine assez cruciale, quand on y réfléchit bien.

Et l'idée selon laquelle la chrétienté serait issue d'une faction du judaïsme ne fut que la plus bénigne des hérésies qui découlèrent de l'étude des manuscrits par des chercheurs indépendants, n'appartenant pas à « l'équipe internationale » chargée du déchiffrement de ces textes. Ce qui explique certainement pourquoi le révérend père Roland de Vaux et ses collaborateurs ne révélèrent des extraits des manuscrits qu'à de très rares occasions. Plus de la moitié de ces textes n'a toujours pas été publiée. (Un réseau a cependant rendu possible la communication de certains documents.) « L'équipe internationale », malgré la très grande lenteur de ses travaux, a toujours refusé l'aide de chercheurs indépendants, et n'a jamais accédé aux demandes de consultation des manuscrits.

Dans leur ouvrage *The Dead Sea Scrolls Deception*, largement basé sur les travaux de Robert Eisenman, universitaire américain dont l'œuvre contribua grandement à affaiblir le monopole monolithique et mesquin de « l'équipe internationale », Michael Baigent et Richard Leigh (plus connus pour leurs théories farfelues sur les enfants de Jésus[1]) avancent les conclusions suivantes :

• Les habitants de Qumran, réputés pour être des ermites pacifiques, étaient en réalité des zélotes, le plus engagé et le plus violent des groupes révolutionnaires hébreux (des Viêt-congs de Judée, en quelque sorte), fondé peu avant la naissance de Jésus.

---

1. Voir chapitre précédent, « Les enfants du Christ ». *(N.d.T.)*

• Bien que les habitants de Qumran, selon le consensus des spécialistes attitrés des manuscrits, fussent des isolationnistes, non impliqués dans les affaires politiques et religieuses de la région, les auteurs des manuscrits faisaient preuve d'un vif intérêt au sujet du Temple de Jérusalem, qui était à l'époque le centre de la civilisation judaïque. La communauté de Qumran, qui déposa les manuscrits dans les grottes à flanc de falaise, était également en contact rapproché avec la secte de Masada, qui soutint le siège romain durant six ans avant d'opter pour le suicide collectif. Certains habitants de Qumran ont très probablement péri à Masada.

• Les zélotes, généralement considérés comme des « combattants pour la liberté », étaient en réalité bien plus que cela. C'étaient des fanatiques religieux qui ne souffraient aucune légèreté vis-à-vis des lois bibliques. Les suicidaires de Masada étaient des zélotes. L'enseignement de Jésus, présumé « prince de la paix », fut très profondément influencé par la pensée zélote, et l'influença à son tour.

• Il n'est donc pas absolument déraisonnable d'avancer que Jésus était un zélote, ou du moins un révolutionnaire nourrissant une certaine sympathie pour la cause zélote. Dans un cas comme dans l'autre, il n'était pas de toute façon ce personnage éthéré décrit dans les Évangiles, et ne se considéra certainement jamais comme le chef d'une nouvelle religion qui se séparait du judaïsme. (Même les Évangiles se réfèrent à Simon, l'un des apôtres de Jésus, comme « Simon le Zélote », prouvant ainsi que Jésus comptait au moins un zélote dans son entourage.)

• Le « Maître de justice », décrit dans les manuscrits comme le chef de la communauté de Qumran, et Jacques, le frère de Jésus dont il est fait mention dans les Évangiles, ne sont qu'une seule et même personne.

• Qumran est « l'Église primitive » à laquelle il est fait référence dans les Actes des Apôtres, sous le nom de « Damas ». C'est dans cette même « Damas » (qui n'est pas la ville syrienne) qu'officiait Saul, l'assassin romain, lorsqu'il fit l'expérience d'une soudaine conversion au « christianisme », devenant le nouveau guide de la foi chrétienne en prenant le nom de « Paul ».

• Le « Menteur » dont il est question dans les manuscrits, l'ennemi du « Maître de justice », n'était autre que Paul. Les manuscrits font en effet le récit du conflit qui opposa dans l'Église primitive les disciples de Jésus, le révolutionnaire messianique, et les disciples de Paul, le tueur à gages devenu évangéliste qui, bien que n'ayant jamais connu Jésus, se piquait d'être plus proche de sa pensée que ses disciples, et même que le propre frère de Jésus.

• Paul a probablement été un « agent provoca-teur » du pouvoir romain dont la mission aurait été de perturber, de pacifier et de dépolitiser le nouveau mouvement.

Dire que ces points relèvent du révisionnisme chrétien est une litote absolue. Ils renversent complètement les fondements historiques de cette religion, et parce que le christianisme a été, sans le moindre doute possible, la force la plus influente dans la constitution de la civilisation occidentale, les manuscrits de la mer Morte, s'ils étaient un jour étudiés et interprétés avec toute la rigueur requise, pourraient très certainement faire trembler l'Occident. Il y a fort à parier là-dessus.

S'il est vrai que le saint suaire est lié à la communauté de Qumran et qu'il a bien appartenu à Jésus, les implications relèvent tout bonnement de l'incroyable. Le secret du suaire serait alors la clef de l'histoire secrète de la civilisation occidentale.

Mais nous en avons assez dit à ce sujet. La question la plus importante au sujet du suaire est en réalité très simple : vrai ou faux ? Si le suaire a bien 2 000 ans, où était-il durant les 1 350 premières années de son existence ? Les sceptiques, convaincus que le saint suaire a été conçu au milieu du XIVᵉ siècle, se rengorgent en soulignant que, avant cette date, il n'en est fait mention nulle part.

À en croire Ian Wilson, il y eut au contraire de nombreuses mentions du suaire, et mieux encore : il s'agissait de l'un des objets les plus vénérés de toute la chrétienté, et, en tant que tel, il exerça une influence directe sur les représentations artistiques de Jésus dès le VIᵉ siècle.

Comme le fait remarquer Wilson (journaliste et partisan dévoué de la cause du saint suaire qui a consacré sa carrière à la vérification de son authenticité), durant les premiers siècles qui suivirent la mort du Christ, celui-ci fut peint sous les traits de l'archétype divin du beau gosse. Cheveux courts, visage frais rasé de près : un jeune homme tout ce qu'il y a de plus irrésistible.

Soudain, la représentation du Christ change du tout au tout. Il ne ressemble plus à Leonardo DiCaprio. C'est un homme plus mûr, avec une raie au milieu de ses cheveux longs. Il porte une barbe qui se divise sous son menton en une « fourche » particulièrement distinctive. Il a un long nez. Il devient, tout simplement, l'Homme du suaire.

Et les sceptiques de répliquer : « Et alors ? » L'apparence du sage hirsute était à la mode au XIVᵉ siècle pour représenter Jésus. Rien de plus logique à ce que l'auteur du faux suaire (sans doute un moine fou) s'en soit inspiré au pied de la lettre. Pourtant, tous les portraits de Jésus exécutés avant 1350 reprennent un par un chacun des traits particuliers du visage de l'Homme du suaire : une marque étrange en forme de « V » entre les yeux, une ligne en travers de la gorge (correspondant à un pli du suaire) et une autre marque sur le front (apparemment, une ecchymose).

Selon Wilson, le saint suaire serait en fait l'icône d'Édesse, hypothèse qui conférerait au suaire une histoire relativement facile à retracer jusqu'au IVe siècle. Édesse (de nos jours appelée Sanliurfa, en Turquie) était l'un des centres de l'Église primitive dans ce qui était alors la Syrie. Les chrétiens qui y vivaient étaient absolument fous d'un morceau de tissu qui portait l'image de la tête de Jésus. Wilson avance que cette icône n'était autre que le suaire, plié de sorte à ne révéler que la très sainte tête.

Pour les conspirationnistes confirmés, le saint suaire offre encore plus de mystères. Durant une période de près de cent cinquante ans, débutant en 1204, les Templiers, gardiens légendaires du Saint-Graal[1], auraient été en possession du suaire. Certains auteurs supposent d'ailleurs que le suaire serait purement et simplement le fameux Graal. Pendant des siècles, le suaire aurait été conservé dans une boîte au couvercle grillagé. À certaines occasions, le tissu aurait été déplié, juste assez pour révéler la tête de Jésus.

Les Templiers adoptèrent un certain nombre de pratiques hérétiques qui leur valurent en fin de

---

1. Voir chapitre précédent, « Les enfants du Christ ». *(N.d.T.)*

compte d'être persécutés et exterminés. L'une de ces étranges habitudes était la vénération qu'ils vouaient à l'image d'une tête appelée « Baphomet ». Personne n'est vraiment sûr de la signification de ce mot, mais il pourrait s'agir d'une déformation d'*abufihamet,* mot arabe signifiant « père de la sagesse ». Selon certains témoignages, le Baphomet était la tête d'un homme barbu. Longtemps après que les Templiers eurent rencontré leur sinistre fin, des chercheurs trouvèrent un buste de Baphomet dans une forteresse anglaise en ruine bâtie jadis par les Templiers. À en croire ceux qui le virent, le buste ressemblait à s'y méprendre à l'Homme du suaire.

L'image présente sur le saint suaire est en soi une véritable énigme. Elle semble similaire en tous points à un négatif photographique. Cependant, il faut en principe un appareil photo pour faire des photos, et il est évident que personne n'avait accès à ce genre de gadget il y a de cela deux mille ans, pas plus qu'il y a « seulement » sept cents ans (date de création la plus probable du suaire, selon la majorité des scientifiques).

En 1988, l'Église catholique romaine permit pour la première fois à des chercheurs de prélever de petits échantillons sur le tissu excessivement détérioré par le temps. Après plusieurs analyses, dirigées indépendamment par trois équipes de scientifiques habitant aux quatre coins du globe, les chercheurs furent unanimes : le saint suaire datait de 1260, certainement pas avant, et peut-être même de 1390. Leurs résultats avaient été obtenus par une datation au carbone 14, qui consiste à mesurer le niveau de décroissance de l'isotope radioactif du même nom, dans n'importe quel type de matière jadis vivante (en l'occurrence, les fibres de lin qui servirent à la confection du suaire). À votre mort, les isotopes contenus dans votre corps s'éliminent à une vitesse constante, de sorte que les futurs archéologues qui découvriront au détour d'une fouille le salmigondis d'os et de poussière que vous serez alors pourront approximativement déterminer depuis combien d'années vous êtes mort ou morte. Ce procédé est particulièrement recommandé si, à l'instar de l'Homme du suaire, les restes de votre dépouille mortelle ne peuvent être localisés mais que, en revanche, vous avez pris soin avant de mourir de laisser l'image de votre corps tout entier sur un drap.

Un autre scientifique, au cours d'une autre expérience en 1978, détermina après plus d'une décennie de recherches que l'image présente sur le suaire n'était en réalité qu'une peinture. Il trouva en effet des traces de pigments sur le tissu. Mais les partisans de l'authenticité du suaire s'opposèrent aussitôt à cette découverte, arguant que ces pigments provenaient sans doute des peintures que, à travers les siècles, l'on pressait contre le suaire afin de les sanctifier. De plus, d'autres scientifiques affirmèrent n'avoir trouvé aucune trace de coups de pinceau. Or, quand on y réfléchit bien, des coups de pinceau sont aussi nécessaires à une peinture qu'un appareil photo à une photo.

Les résultats de la datation au carbone 14 ont également été remis en question par des scientifiques partisans de l'authenticité du saint suaire qui prétendirent que les échantillons prélevés en 1988 furent altérés par une « couche bioplasmique » qui aurait pu fausser les résultats des analyses de près de treize siècles ! Ce qui, par une heureuse et très pratique coïncidence, ferait remonter en réalité l'âge du tissu à, environ, deux mille ans.

En résumé, alors que les preuves scientifiques semblent plaider sans équivoque en faveur d'une fabrication médiévale très minutieuse, les origines exactes du saint suaire restent pour le moins obscures. Même si l'objet est l'œuvre d'un moine amateur de pastiches historiques qui souhaitait créer l'ultime relique (un sacré marché, à l'époque), la question reste entière : comment s'y est-il pris ? Les détails et le réalisme extraordinaire de l'image semblent se distinguer de la production artistique de l'époque, et si cette image n'est pas une peinture, alors qu'est-ce que cela peut bien être ? Et du reste, s'il s'agit d'une peinture, pourquoi avoir peint un négatif ?

Et qu'en est-il du sang présent sur le tissu ? Selon le chimiste Alan Adler, cité dans ce prestigieux journal d'archéologie sacrée, le magazine *Time*, le sang s'est révélé être du vrai sang au cours des tests qu'on lui fit subir mais, qui plus est, il contient un fluide qu'on ne peut trouver que dans du sang coagulé. Bien sûr, dans le cadre de la théorie de la supercherie historique, on peut imaginer que le moine fou qui peignit l'image de Jésus décida d'ajouter encore plus de réalisme à son œuvre en saignant dessus. Mais aurait-il attendu que son sang ait séché avant de l'étaler sur le vrai faux suaire ? À l'époque, personne ne savait ce qu'était du sang coagulé, encore moins qu'il contenait des substances différentes du sang non coagulé. Notre moine dément devait sans nul doute être très en avance sur son temps.

Dans tous les cas, et comme tout bon mystère ou toute bonne conspiration qui se respecte, la vérité sur le saint suaire est condamnée à rester dans les profondeurs ténébreuses de l'histoire, inconnue de tous, et pour toujours.

Sources principales

La Bible confisquée, enquête sur le détournement des manuscrits de la mer Morte, Michael Baigent et Richard Leigh, Plon, 1992.

L'Énigme sacrée, Michael Baigent, Richard Leigh, Henry Lincoln, Pygmalion, 1983.

In Search of the Shroud of Turin, Robert Drews, Rowan and Allanheld, 1984.

Judgement Day for the Turin Shroud, Walter C. McCrone, Microscope Publications, 1997.

Inquest on the Shroud of Turin, Joe Nickell, Prometheus Books, 1983.

La Vérité sur le suaire de Turin, Kenneth E. Stevenson et Gary R. Habermas, Fayard, 1981.

« Science and the Shroud », David Van Biema, article paru dans le numéro du magazine *Time* daté du 20 avril 1998.

Shroud, Robert Wilcox, MacMillan, 1977.

Le Suaire de Turin, Ian Wilson, Albin Michel, 1978.

The Blood and the Shroud, Ian Wilson, Free Press, 1998.

John Lennon :
le meilleur est parti le premier

La scène qui se déroulait devant l'ancien immeuble Dakota à New York, le soir du 8 décembre 1980, était aussi irréelle qu'horrifiante. John Lennon, sans doute la plus célèbre des rock stars, était étendu par terre, à peine conscient, et se vidait de son sang par les quatre impacts de balles à pointe plate tirées dans son dos. Son épouse Yoko Ono tenait sa tête dans ses bras en criant (presque aussi fort que sur les premiers albums où elle est censée chanter).

À quelques mètres seulement, un jeune homme rondelet, singulièrement calme, lisait debout un livre de poche. Quelques secondes auparavant, il avait adopté une position de tir militaire (jambes écartées pour un équilibre optimal, les deux mains tenant fermement son revolver calibre 38 afin d'assurer la trajectoire du tir) et avait abattu le meilleur des Beatles. Il feuilletait à présent nonchalamment le roman que même les lycéens américains les plus abrutis (que ce soit dans leur nature ou à cause d'un excès de stupéfiants) finissent par lire un jour ou l'autre, *L'Attrape-cœur* de J. D. Salinger.

Le portier du Dakota cria au tireur, Mark David Chapman : « Vous savez ce que vous venez de faire ? »

« Je viens de descendre John Lennon », répondit Chapman, assez fidèle à ce qui venait de se passer.

Ce fut une tragédie d'une gratuité toute kierkegaardienne. Il n'y avait apparemment qu'une seule façon d'en extraire un sens quelconque : la cataloguer comme un acte de violence irraisonnée perpétré par un « forcené ».

« Il m'est passé devant et alors j'ai entendu dans ma tête : "Fais-le, fais-le, fais-le", encore et encore, ça disait : "Fais-le, fais-le, fais-le", comme ça », se rappela Chapman, avec une sérénité surnaturelle, dans un documentaire de la BBC, plusieurs années après son emprisonnement. « Je ne me souviens pas d'avoir visé. J'ai sûrement dû viser, mais je ne me rappelle pas l'avoir fait. Et j'ai simplement appuyé cinq fois sur la détente, calmement. »

Chapman décrit son état d'esprit lors de l'assassinat par ces mots : « Pas d'émotion, pas de colère... un silence de mort dans le cerveau. »

Ces symptômes parurent bien trop familiers à certains. Fenton Bresler, avocat et journaliste britannique, les interpréta comme des indices criants de vérité : Chapman était un tueur manipulé psychiquement pour exécuter le contrat d'un autre.

« Mark David Chapman, écrit Bresler, est par bien des aspects autant victime de ceux qui désiraient la mort de John Lennon que Lennon lui-même. »

Les plaignants, faute de motifs, optèrent pour le cliché : Chapman avait assassiné Lennon pour attirer l'attention, tout se résumait à cette obsession américaine des « quinze minutes de gloire » prophétisées par Andy Warhol et dont la simple évocation porte aux nues tout bon chroniqueur ou journaliste se piquant de « pop-sociologisme ». Mais Arthur O'Connor, l'inspecteur qui, immédiatement après le meurtre, passa plus de temps avec Chapman que quiconque, a un avis complètement différent sur la question.

« Il est absolument illogique de prétendre que Mark a commis ce meurtre pour devenir célèbre. Il ne voulait pas parler à la presse, dès le début... Il est possible que Mark ait été utilisé par quelqu'un. Je l'ai vu la nuit du meurtre. Je l'ai très attentivement étudié. Il avait tous les signes d'une personne qui a pu être programmée. »

C'est ce que dit O'Connor à Bresler lorsqu'ils discutèrent pour la première fois publiquement. L'ouvrage de Bresler, *Who Killed John Lennon ?*, offre l'argument le plus convaincant contre la thèse selon laquelle le meurtre de Lennon aurait été l'œuvre d'un énième « dérangé solitaire ».

Les théories du complot abondèrent à la mort de Lennon, beaucoup d'entre elles désignant cruellement Yoko comme le cerveau de l'opération. D'autres visaient Paul McCartney en avançant qu'il croyait que Yoko avait orchestré son arrestation au Japon pour détention et consommation de cannabis. La conspiration Lennon revient assez régulièrement sur les ondes des antennes libres, dont les animateurs rabrouent souvent les auditeurs avec l'argument d'autorité par excellence : « Pourquoi s'embêter à tuer ce mec ? »

La thèse de Bresler, selon laquelle Chapman était un assassin contrôlé psychiquement par un quelconque groupuscule de droite probablement lié au président nouvellement élu et pas encore investi à l'époque, Ronald Reagan, est la seule à dépasser les frontières de la spéculation pure et simple, pour s'étendre au domaine de la véritable enquête.

Même ainsi, Bresler a un peu trop tendance dans son ouvrage à substituer des questions rhétoriques (« À votre avis, que signifie cette répétition par une voix posée des mots "Fais-le, fais-le, fais-le", encore et encore, dans la tête de Mark ? ») à des arguments dignes de ce nom. Mais on peut facilement le lui pardonner. Bresler a travaillé sur ce cas pendant huit ans, a procédé à des interviews exclusives, et rendu publics des volumes entiers de documents gouvernementaux dont l'existence était jusque-là insoupçonnée. Mais contrairement aux enquêteurs qui s'intéressèrent aux assassinats des frères Kennedy et de Martin Luther King, il ne disposait pas de dossiers de preuves constitués par une enquête officielle, même mal menée, sur lesquels il aurait pu se reposer. La police de New York avait son homme, l'affaire fut classée le soir même du meurtre, et puis, de toute façon, quelle motivation politique pouvait-il y avoir à éliminer le compositeur d'*I Am the Walrus* ?

En menant son enquête, Bresler établit fermement des faits qui balayent purement et simplement toute argumentation basée sur la fameuse question : « Qui voudrait tuer une rock star qui commence à prendre de la bouteille ? »

Richard Nixon, son administration et d'autres politiciens de droite (y compris l'ancien sénateur ultraconservateur Strom Thurmond, qui adressa personnellement un mémo à ce sujet à l'*attorney general* John Mitchell) faisaient une fixation sur ce qu'ils considéraient comme « le problème Lennon ». Pour eux, le chanteur/auteur/compositeur très engagé politiquement était un élément subversif insidieux de la pire espèce : à ces graves tares, il ajoutait la célébrité et l'amour du public.

• J. Edgar Hoover était tout autant inquiété par le dangereux individu. L'une des pages du dossier

Lennon au FBI porte la mention manuscrite et soulignée de ces majuscules : TOUT EXTRÉMISTE DEVRA ÊTRE CONSIDÉRÉ COMME DANGEREUX.

• Le gouvernement fit tout ce qui était en son pouvoir pour refuser à Lennon le droit de résidence permanente aux États-Unis dont il espérait bénéficier depuis longtemps, et plus encore pour tenter de l'expulser du pays (c'était le sujet du mémo de Thurmond).

• Le dossier Lennon du FBI (qui avec ses quelque trois cents pages était aussi replet que Hoover en personne) révèle que le chanteur était sous une « surveillance constante ». Les fédéraux étaient loin de faire preuve de discrétion dans leurs actions auprès de l'ex-Beatle : ils tentaient de le réduire au silence par un harcèlement continuel, ou du moins de le rendre cinglé, tactique qui avait déjà été utilisée contre Martin Luther King, quelques années auparavant (années qui s'étaient avérées, c'est le moins qu'on puisse dire, extrêmement riches en événements).

• Fin 1972, lorsque la « surveillance » atteignit un pic, Lennon dit à l'humoriste Paul Krassner : « Écoutez, si quoi que ce soit arrive à Yoko et moi, ce ne sera pas un accident. »

• Le FBI et la CIA espionnèrent Lennon au moins depuis son concert de soutien à John Sinclair en 1969, et ce jusqu'en 1976, même si, à cette époque, Lennon avait déjà remporté sa bataille pour son intégration en tant qu'immigré anglais, et avait momentanément mis un terme aussi bien à son activisme politique que, plus généralement, à sa vie publique, au profit de ce qui apparut comme cinq longues années de solitude. Son appartement était surveillé, il était régulièrement pris en filature, et son téléphone était sur écoute.

Le fait de placer une personne sous « surveillance constante » et le fait d'ordonner son exécution sont bien entendu deux choses absolument différentes. Néanmoins, ce qui intéresse surtout Bresler, c'est de bien souligner que le gouvernement ne considérait pas John Lennon comme un rocker inoffensif dont les apparitions sur la scène de l'activisme politique entraînaient avant tout un geste de recul instinctif (pensez à son *« bed-in »* à Montréal).

Il était considéré comme un dangereux gauchiste qu'il fallait à tout prix stopper.

Et dans une certaine mesure, cette paranoïa officielle était tout à fait justifiée, parce que pour embarrassantes que pouvaient être les cascades politico-médiatiques des deux époux, John avait la faculté d'attirer à lui les projecteurs et les caméras, et de parler directement aux millions de jeunes gens qui le vénéraient.

Reposant sur un accès illimité aux médias, son pouvoir était immense, ou du moins potentiellement immense, et reconnu comme tel par des activistes expérimentés comme Jerry Rubin et Abbie Hoffman qui tentèrent de se rapprocher de Lennon, tant et si bien que la rock star fut très vite incommodée par leurs sollicitations.

Lennon fut assassiné quatre ans seulement après la fin de l'étroite surveillance que lui imposèrent le FBI et la CIA. Durant ces quelques années, le président des États-Unis n'était autre que Jimmy Carter, un démocrate qui tint plus ou moins bien la bride des deux agences gouvernementales aux méthodes dignes de la Gestapo.

Mais en décembre 1980, alors que le premier album de John Lennon depuis près de cinq ans atteignait le sommet des classements de ventes de disques, Carter n'était plus qu'un chef de service obscur, ayant perdu les élections au profit de Ronald Reagan. La campagne de ce dernier avait été organisée et conduite par William Casey, ex-agent secret qui, sous la présidence de Reagan, devint le chef de la CIA le plus dangereusement indépendant depuis Allen Dulles. La nouvelle équipe dirigeante d'extrême droite allait réorganiser les services de renseignements et leur donner systématiquement carte blanche.

Les forces qui tentèrent désespérément de neutraliser Lennon durant au moins sept ans avaient perdu leur influence en 1976. Le dossier de Lennon se clôt sur cette année. En 1980, alors que ces mêmes forces se préparaient à reprendre le contrôle du gouvernement, John Lennon sortit de sa retraite. À peine quelques mois plus tard, il était assassiné.

Les documents qui étayent la théorie de la conspiration lennonienne sont cependant peu nombreux. En fait, on ne dispose de presque rien, mis à part le billet d'avion trouvé dans la chambre d'hôtel de Chapman : un aller simple Hawaï-New York datant du 5 décembre. Mais en réalité, Chapman avait acheté un billet Hawaï-Chicago pour le 2 décembre, sans vol de liaison. Apparemment, le billet retrouvé après son arrestation était un faux. Aucun de ses amis ne savait qu'il se rendait à New York : tous croyaient qu'il se rendait à Chicago pour un séjour de trois jours.

Bresler conclut que l'assassinat de Lennon, qui comme le fit remarquer Chapman dans une interview exclusive, « mit fin à une ère », ressemble sur bien des points à un autre assassinat survenu douze ans auparavant : le meurtre de Robert F. Kennedy.

Une incroyable (ou fallacieuse, c'est selon) coïncidence voulut que Sirhan Sirhan, l'assassin prétendument solitaire de RFK, et Chapman furent défendus au tribunal par le même expert psychiatre. Mais alors que le docteur Bernard Diamond fut dans l'incapacité de nier que Sirhan avait agi sous hypnose (Diamond diagnostiqua un

149

cas « d'autosuggestion » [1]), il catalogua Chapman comme un « schizophrène paranoïaque ».

La cour n'abonda pas dans son sens. Depuis le jour où il plaida coupable et jusqu'à aujourd'hui, Chapman n'a bénéficié que de simples contrôles psychiatriques de routine. Il ne fut pas interné dans un hôpital psychiatrique, mais enfermé dans la prison d'État d'Attica. Il fut jugé par la cour comme « sain d'esprit », et donc pleinement responsable de son acte.

Bresler revient sur un petit nombre d'idées fausses très largement véhiculées au sujet de Mark David Chapman :

• Bien que toute mention de son nom soit de nos jours systématiquement accompagnée de la description sommaire « admirateur dérangé », Chapman était tout sauf cela. Il n'admirait pas plus les Beatles et leur chanteur que n'importe qui de sa génération. Sa véritable idole rock était Todd Rundgren, musicien cynique et génie de la production en studio, à l'absolu opposé de John Lennon en terme de sensibilité musicale.

• Bien qu'il ait déclaré quelques mois après le meurtre avoir « assassiné Lennon pour attirer l'attention afin de promouvoir *L'Attrape-cœur* de

---

1. Voir le chapitre « Robert Francis Kennedy : "RFK doit mourir !" ». *(N.d.T.)*

Salinger », Chapman n'a commencé à faire étalage de sa passion pour ce roman que très peu de temps avant de tuer Lennon. (Bresler évoque la possibilité que *L'Attrape-cœur* ait été utilisé comme un déclencheur dans la « programmation » psychique de Chapman.)

• Après le meurtre, les médias les plus influents ont colporté d'étranges histoires au sujet de la supposée identification de Chapman à Lennon : selon *Newsweek*, il se serait même un jour « rebaptisé » lui-même John Lennon. Pour fascinantes qu'elles puissent paraître, toutes ces histoires n'étaient étayées par aucune preuve. (Il est vrai que lorsque Chapman quitta son dernier emploi, il signa sa démission du nom de « John Lennon », avant de le barrer d'une croix, mais Bresler interprète assez pertinemment cet acte plus comme une façon de dire, pour Chapman, « John Lennon, je vais te tuer » que comme une façon de dire « John Lennon, je suis toi ».)

• Chapman n'était pas un « solitaire ». Durant toute la première partie de sa vie, il jouit d'une vie sociale normale et équilibrée. C'était un moniteur de colonies de vacances qui s'entendait particulièrement bien avec les enfants.

Bresler fait également remarquer que lorsque Chapman s'engagea dans un programme de colonie à l'étranger, il choisit une curieuse destination :

Beyrouth – un endroit parfait, selon Bresler, pour « donner le goût du sang » à la douce âme de Chapman, c'est-à-dire le désensibiliser à la violence.

Un dernier élément du mystère Mark David Chapman : alors qu'il s'apprêtait à passer devant les tribunaux, et que son avocat finissait de constituer le dossier de sa défense (il lui fallut pour cela près de six mois), l'assassin présumé décida subitement de changer de ligne de défense, en plaidant « coupable ». Son avocat, très perturbé par ce retournement de dernière minute, fut plongé dans la perplexité. Mais Chapman n'en démordait pas. Il prétendit que ce changement soudain suivait les instructions d'une « petite voix masculine » qui lui avait parlé dans sa cellule.

Chapman interpréta cette voix comme celle de Dieu.

Source principale

Who Killed John Lennon, Fenton Bresler, St Martin's Press, 1989.

Martin Luther King :
il eut un rêve...

Il était à peine plus de dix-huit heures, le 4 avril 1968, et Martin Luther King se tenait sur le balcon du deuxième étage du Lorraine Motel de Memphis lorsque la balle d'un sniper fendit l'air. Plaisantant avec son chauffeur, Luther King se retrouva en un instant à terre, sur le dos, une flaque de sang s'épanchant autour de sa tête. Quelques minutes plus tard, le chef de la lutte pour les droits civiques trouvait la mort.

L'assassin fallacieusement désigné, et capturé plusieurs mois plus tard, se nommait James Earl Ray, un petit escroc qui n'avait jusque-là montré aucune aptitude pour des entreprises criminelles plus élaborées que des hold-up de stations-service et une évasion de prison. À la suite d'un accord passé entre son avocat et l'accusation, Ray plaida coupable et fut condamné à une peine de quatre-vingt-dix-neuf ans de réclusion. Mais il se rétracta aussitôt après et, clamant son innocence, demanda une révision de son procès, jusqu'à maintenant sans succès.

Ray a-t-il tué Martin Luther King ? Plus de trente ans après les faits, une petite montagne d'éléments et de preuves semble corroborer la principale revendication de Ray, à savoir qu'il n'est pas l'auteur du coup de feu fatal. Ce que nous savons à présent sur ce jour funeste qui restera à jamais gravé dans l'histoire implique des responsabilités toutes différentes, et plutôt déstabilisantes.

Dans les heures et les jours qui précédèrent le meurtre de Luther King, une incroyable légion d'agents du gouvernement, d'informateurs, de soldats et d'espions s'acheminèrent jusqu'à Memphis. Leurs motivations restent ténébreuses, sans aucun doute à dessein : les documents gouvernementaux susceptibles d'éclairer l'affaire sont encore de nos jours obstinément classés secrets.

Cependant, il semble évident que toutes ces personnes ne s'intéressaient que de très loin à la *protection* de Luther King. Son opposition croissante à la guerre du Vietnam et son appel aux populations pauvres blanches américaines avaient suscité la peur d'une véritable révolution. Les services de renseignements de l'armée, qui espionnaient Luther King depuis des décennies, considéraient celui-ci comme un élément subversif, voire un communiste. Ils s'escrimaient en conséquence à échafauder des plans visant à miner son agenda politique, et plus précisément la nouvelle marche sur Washington à venir, décrite dans un rapport alarmiste des services du Pentagone comme « un facteur de troubles civils dévastateurs dont l'unique objectif est de court-circuiter le gouvernement des États-Unis ». Luther King était pour eux l'équivalent national de l'ennemi combattu à l'étranger : « Un Nègre qui à maintes reprises a prêché le message de Hanoi et Pékin. »

Face à cette opposition toute martiale, Luther King était retourné à Memphis, avec la volonté d'organiser une nouvelle marche non violente en faveur des ouvriers de l'hygiène de la ville, alors en grève. La semaine précédente, un autre rassemblement organisé par lui avait dégénéré en une émeute au cours de laquelle on dénombra soixante blessés et un mort. Incités par les fuites d'informations hystériques orchestrées par J. Edgar Hoover, directeur du FBI, les médias présentèrent le retour de Luther King comme une « répétition générale » d'une nouvelle vague de pillages et d'affrontements à Washington.

C'est à ce moment que les « fédéraux » entrent subrepticement en scène, comme s'ils avaient déclaré la guerre à Luther King :

• Avant l'arrivée de Luther King, le 20e régiment des Forces spéciales, basé en Alabama, avait expédié des Bérets verts dans plusieurs villes du

Sud, parmi lesquelles Memphis. Leur mission : établir des cartes des rues, déterminer les zones d'atterrissage des troupes anti-émeutes et les meilleurs postes pour les tireurs d'élite – tout cela, *en principe*, pour réprimer tout désordre civil. Mais le 20ᵉ était un corps d'armée constitué en majeure partie de vétérans des groupes d'intervention spéciale qui au Vietnam, et de concert avec la CIA, avaient participé à des opérations secrètes, parmi lesquelles des missions d'assassinat. Selon un ancien commandant des services de contre-espionnage cité par le *Memphis Commercial Appeal* : « On ne pouvait pas se permettre de laisser revenir aux États-Unis un grand nombre de ces cinglés, parce qu'ils étaient incapables d'oublier leur entraînement. » C'est pourquoi l'armée les fit incorporer dans le 20ᵉ des Forces spéciales de Birmingham (Alabama). « Le Sud rural était considéré comme un prolongement des théâtres d'opération du Vietnam, expliqua le même commandant, et les choses sont vite devenues incontrôlables. » Le Ku Klux Klan devint rapidement le principal organe de renseignement national du 20ᵉ, que l'on surnomma « les Forces spéciales du Klan »[1].

• Selon des documents militaires que le *Memphis Commercial Appeal* put consulter en 1993, le 3 avril, des agents du 111ᵉ de Renseignement militaire

---

1. *« Klan Special Forces ».* (N.d.T.)

arrivèrent à Memphis, où ils espionnèrent les « déplacements [de Martin Luther King] et surveillèrent les communications radio, dans une berline truffée d'équipements électroniques ».

• Le jour de l'assassinat de Luther King, toujours selon le *Memphis Commercial Appeal*, « huit Bérets verts appartenant à un certain "groupe Alpha 184 Opération Détachement" se trouvaient également à Memphis pour accomplir une mission inconnue ».

• Ed Redditt, alors policier à Memphis, prétend avoir reçu l'ordre de quitter son poste de garde contigu au Lorraine Motel pour rejoindre le commissariat principal « une heure et demie, pas plus que deux heures » avant le meurtre de Luther King. Redditt était l'un des deux seuls agents assignés à la protection de Luther King. Dans le bureau du chef de la police, « on aurait dit une réunion de tout l'état-major américain », confia-t-il plus tard à l'auteur Mark Lane. « Dans cette pièce, juste avant que le docteur King se fasse assassiner, se trouvaient les chefs et les seconds de, je crois, toutes les forces de l'ordre présentes dans le coin... Le shérif, la patrouille autoroutière, les renseignements militaires, la garde nationale. Pensez à n'importe quelle organisation de ce genre : vous pouvez avoir la certitude qu'elle s'y trouvait. »

On présenta Redditt à un agent des services secrets américains qui prétendit avoir fait le voyage en avion de Washington spécialement pour l'avertir qu'un groupe issu du Mississipi avait mis un contrat sur sa tête. Redditt, Noir américain, fut sommé d'abandonner son poste et de rentrer chez lui. Redditt devait apprendre des années plus tard que la supposée « menace de mort » s'était révélée n'être qu'une fausse alerte.

• La première personne à s'être approchée de Luther King, mortellement touché, fut Marrell McCullough, en principe un activiste noir, mais en réalité un flic infiltré chargé de garder l'œil sur l'entourage du célèbre pasteur pour le compte de la police de Memphis et du FBI. Selon Mark Lane, peu après l'assassinat, McCullough travailla également pour la CIA.

• Les policiers locaux se comportèrent eux aussi d'une façon très suspecte. Le directeur de la police et des pompiers de Memphis congédia momentanément les deux pompiers noirs postés dans la caserne jouxtant le Lorraine Motel. Cette caserne, la « Station 2 », fut réquisitionnée pour servir de base opératoire à l'inspecteur Redditt, chargé de surveiller et protéger Martin Luther King, avant qu'il n'en soit lui aussi expulsé.

Selon des documents du FBI, ses services auraient eu connaissance de près de cinquante menaces de mort à l'encontre de Luther King, la plus récente remontant à trois jours avant son assassinat. En dépit de ces signaux d'alerte, les services de police retirèrent leurs unités d'intervention positionnées à quelques pâtés de maisons du motel où se trouvait Luther King. Ils furent également incapables de bloquer le périmètre du crime et de délivrer un avis de recherche après le meurtre. En conséquence, l'assassin (ou les assassins) n'eut aucun mal à s'enfuir.

L'assassinat fut immédiatement présenté comme l'œuvre de cet archétype américain un peu trop familier, le tueur isolé apolitique. Et deux mois après les événements, les autorités londoniennes arrêtèrent James Earl Ray, le principal suspect. Ray, fugitif blanc âgé de quarante ans, avait effectivement fui Memphis quelques instants après le coup de feu fatal. Il ne faisait aucun doute qu'il avait quelque chose à voir avec l'assassinat, ce qu'il n'a du reste jamais cherché à démentir.

Les preuves censées confondre Ray sont extrêmement convaincantes. On peut citer par exemple les empreintes digitales relevées sur le fusil à lunette de calibre 30-06 que l'on retrouva sur le trottoir, devant un immeuble de rapport miteux en face du Lorraine Motel. Ray y avait effectivement loué une chambre plus tôt dans la journée sous un nom d'emprunt. Empaquetés avec le fusil, on trouva des effets personnels de Ray, comme la radio qu'il avait emportée avec lui lorsque, un an auparavant, il s'était évadé de prison.

Des témoins de l'immeuble de rapport décla-
rèrent avoir vu un homme en complet noir, apparemment le nouveau « locataire », se précipiter
dans le couloir du deuxième étage quelques instants après la détonation. Ils ajoutèrent qu'il portait un long paquet. Environ une minute plus tard,
les clients d'un disquaire, plus bas dans la même
rue, aperçurent par la vitrine du magasin un homme
pareillement vêtu, courant à perdre haleine, qui
jeta le paquet, lequel tomba sur le trottoir dans un
bruit sourd très caractéristique. Quelques instants
plus tard, ils virent un homme au volant d'une
Mustang blanche s'arracher du bord du trottoir
dans un crissement de pneus.

Le moins qu'on puisse dire, c'est que l'affaire ne
se présentait pas bien pour Ray. La fenêtre de sa
chambre faisait face au balcon du Lorraine Motel,
à l'instar de la fenêtre de la salle de bains commune
du même étage où, selon plusieurs témoins, le
coup de feu fut tiré. Les meubles de la chambre de
Ray avaient été déplacés de manière à faciliter
l'accès à la fenêtre et, parmi ses effets personnels
abandonnés sur le trottoir, on retrouva une paire
de jumelles qu'il avait achetée l'après-midi.

Les propos décousus de Ray ne l'aidèrent en
rien. Il n'eut de cesse de se présenter comme la
dupe d'un complot organisé par un mystérieux
personnage du nom de Raoul, qu'il décrivit tantôt
comme un « Latin blond », tantôt comme un

« Québécois roux », voire comme un « Espagnol » aux cheveux auburn. Selon Ray, Raoul l'avait engagé à Montréal l'année précédente comme petite main dans une sombre affaire de contrebande d'armes à feu.

Toujours d'après ses propres propos, Ray aurait acheté l'arme du crime et les jumelles sur l'ordre de Raoul. Le fusil était censé servir de modèle de démonstration pour d'éventuels clients, en toute illégalité. Bien que son patron lui ait dit de rester près de sa voiture garée devant l'immeuble, Ray prétendit s'être rendu à une station-service toute proche. Lorsqu'il revint à l'endroit convenu, toujours d'après ses propres dires, la plus grande agitation s'était emparée des lieux. Déduisant que le marché de Raoul prenait un mauvais tour, Ray aurait quitté la ville au plus vite, n'apprenant que plus tard que Luther King avait été abattu.

Bien que la version officielle des faits tende à présenter le cas James Earl Ray comme une affaire aussitôt ouverte, aussitôt close (le fait qu'il ait initialement plaidé coupable représentant à ce titre la preuve parfaite de sa simplicité), il existe néanmoins beaucoup de contradictions :

• De nombreux témoins ont prétendu avoir vu deux Mustang blanches garées devant l'immeuble de rapport minable de Memphis. Se pourrait-il qu'un homme ressemblant physiquement à Ray et portant les mêmes vêtements se soit fait passer pour lui, ait jeté ostensiblement l'arme du crime devant un public de témoins potentiels, avant de prendre la fuite dans une voiture identique à celle de Ray ?

• Du point de vue de Ray, le fait d'empaqueter ses effets personnels, grâce auxquels il fut plus que facile de remonter jusqu'à lui, avec la présumée arme du crime est sans aucun doute le summum de la stupidité criminelle. Au même titre, le fait de jeter le paquet compromettant au vu et au su de témoins, à quelques pas seulement de sa voiture, semble tout bonnement invraisemblable. En revanche, une personne voulant incriminer Ray n'aurait pas agi autrement.

• Un seul « témoin », Charles Stephens, identifia Ray comme l'homme qui s'enfuit de l'immeuble de rapport. Initialement, Stephens avait nié le fait que Ray était l'homme qui sortit en courant de la salle de bains commune mais, après avoir passé un certain temps en prison en tant que « témoin direct », Stephens modifia sa version des faits. Plus tard, cependant, il revint sur son témoignage, et se plaignit d'avoir dû signer sous la contrainte une fausse déclaration sous serment.

Selon Grace Stephens, son époux ne se trouvait même pas dans l'immeuble lorsque le coup de feu fut tiré. Ce fut elle qui vit l'homme s'enfuir dans le couloir, pas son mari. « Il ne s'agissait pas de

James Earl Ray. C'était un homme complètement différent. »

Notons par ailleurs que les Stephens ne sont pas les témoins les plus sûrs de cette affaire : à l'heure du crime, tous deux, déjà saouls, continuaient à boire de grandes quantités d'alcool. Cependant, un fait très important soulève de nouveaux doutes : très peu de temps après l'incarcération de son mari, Grace fut illégalement enfermée dans un établissement psychiatrique. Selon son avocat, elle fut « envoyée » à l'asile parce que ses déclarations fracassantes représentaient une menace pour l'accusation et l'incrimination de Ray.

• Bien que le fusil et les divers objets empaquetés fussent couverts des empreintes digitales de Ray, il fallut des semaines au FBI (délai plus qu'exceptionnel) pour les associer à Ray, prisonnier évadé[1]. Qui plus est, on ne retrouva aucune empreinte digitale de Ray dans sa chambre, ou sur la boîte emplie de cartouches.

Mais d'autres éléments mystérieux invalident le scénario du tireur fou isolé. Après avoir fui Memphis et les autorités policières, Ray trouva refuge à Toronto. En planque dans une pension, il

---

1. Ray ayant été en prison, ses empreintes figuraient dans les registres de la police, aisément consultables, et plus aisément encore par des agents du FBI. *(N.d.T.)*

reçut la visite d'un homme qui, dans le cadre de l'affaire Luther King, fut connu comme « le Gros »[1]. Le Gros remit en mains propres une enveloppe au fugitif apeuré. Apparemment, Ray ne craignait pas que ce prétendu étranger fût un policier : selon la gérante de la pension, son hôte en cavale qui ne quittait presque jamais sa chambre alla bizarrement retrouver l'homme devant la porte d'entrée de l'établissement. Il semblerait que le mystérieux étranger lui eût remis une liasse de billets car, dès le lendemain, Ray acheta un billet d'avion pour Londres.

Les autorités canadiennes localisèrent plus tard le Gros, qui débita une histoire improbable et très peu satisfaisante aux yeux de la police : il aurait trébuché sur une enveloppe portant l'adresse de Ray et aurait décidé de la rendre à son destinataire. Mais lorsque l'auteur Philip Melanson, des années plus tard, retrouva sa trace et le confronta à son ancienne version des faits, le Gros répondit qu'il avait refusé de témoigner en 1968 afin d'éviter de recevoir « une balle dans la tête ». Plus tard encore, il ajouta sans plus de précisions : « Ray et ces gens sont des gangsters. Ils sont capables de tuer n'importe qui. »

Mais la meilleure preuve, et la plus effrayante, de l'existence d'une conspiration reste sans doute

---

1. « The Fat Man ». *(N.d.T.)*

l'utilisation par Ray de noms d'emprunt très sophistiqués durant les mois qui précédèrent et suivirent immédiatement l'assassinat de Martin Luther King.

Les quatre pseudonymes de Ray ont un point commun particulièrement important : il s'agissait de noms de personnes existant bel et bien, et vivant à proximité les unes des autres à Toronto. Ray ne s'est rendu à Toronto qu'une seule fois dans sa vie : précisément au cours de sa cavale, *après* le meurtre de Luther King. Et pourtant, il avait déjà utilisé plusieurs de ces fausses identités des mois *avant* l'assassinat. Comment Ray avait-il choisi ces noms ? Sans grande surprise, les explications de Ray ont toujours été évasives à ce sujet.

Melanson remonta la piste des Canadiens dont Ray avait utilisé les noms, et le scénario, qu'il décrit dans son ouvrage *The Murkin Conspiracy*, a de quoi glacer d'effroi. Des mois avant l'assassinat, Ray avait recours au pseudonyme « Eric Starvo Galt ». Melanson découvrit que, à la même époque, le Torontois du nom d'« Eric Galt » abrégeait dans sa signature son deuxième nom, St. Vincent, en « St. V. », dessinant en guise de points des cercles irréguliers qui faisait se confondre sa signature et celle qu'un inconnu utilisait : « Eric Starvo Galt. » Au prix de recherches dont on n'ose imaginer l'étendue, Melanson découvrit que, plus tard, le véritable Eric St. Vincent Galt changea de signature, et se mit à signer des documents et ses chèques de la sorte : « Eric S. Galt. » À peu près au même moment, l'escroc multirécidiviste James Earl Ray changea son nom d'emprunt pour « Eric S. Galt ». Et tout cela se passa des mois avant le premier et dernier séjour de Ray à Toronto !

Il existe bien d'autres points communs tout aussi incroyables entre Ray et les Canadiens dont il emprunta les noms, Galt en particulier. Ray ressemblait singulièrement à Galt. Tous deux portaient des cicatrices au-dessus des yeux. En fait, les autres Canadiens avaient également des cicatrices sur le visage. Quatre mois avant l'assassinat, Ray, braqueur à la petite semaine, subit une opération de chirurgie esthétique qui modifia le dessin de son « nez pointu très caractéristique », selon Melanson, accentuant encore plus sa ressemblance avec le véritable Galt. Qui plus est, ce dernier était un remarquable tireur qui transportait souvent dans sa voiture un bon nombre d'armes à feu (qu'il aille au stand de tir ou qu'il en revienne) et s'était déjà rendu dans des villes du sud des États-Unis fréquentées par Ray.

Le point crucial de l'argumentation de Melanson est tout à fait convaincant : tous ces points communs ne peuvent pas être de simples coïncidences. Quelqu'un essaya-t-il d'attirer l'attention sur ces quatre malheureux Canadiens ? En fait, c'est bel et bien ce qui arriva. Durant la chasse à l'assassin de Luther King, ils devinrent les victimes involontaires de la lubie de Ray pour les noms d'emprunt. Alors que « la plus grande chasse à l'homme de l'histoire » battait son plein, Galt voyait son nom s'étaler sur toutes les manchettes. Si le FBI n'avait pas identifié les empreintes de Ray sur le fusil, Galt, innocent, aurait eu de grandes chances de devenir le suspect numéro un.

Quelle était la finalité de ce tour de prestidigitation très élaboré avec les pseudonymes de Ray ? Selon Melanson, Galt en est la clef. « Galt était bien plus qu'une simple couverture : c'était un homme qui aurait pu être impliqué dans le crime, ne serait-ce que temporairement, permettant ainsi à Ray de disparaître dans la nature. » Les autres Canadiens vivaient par un heureux « hasard » près de Galt, et la police aurait pu conclure à tort que le véritable Galt leur avait emprunté ses trois « pseudonymes ». En clair, Galt, sans le savoir, était censé joué le rôle de coupable évident.

Les points communs « furent plus certainement le fruit d'un complot planifié que celui d'une succession de pures coïncidences », conclut Melanson, en ajoutant qu'une telle machination « dépassait de très loin les capacités d'un minable comme Ray ».

Melanson avance que les conspirateurs jetèrent très certainement leur dévolu sur Galt et prirent connaissance des détails de son état civil en ayant accès à son dossier top secret d'habilitation de sécurité. En effet, Galt était employé par une entreprise de défense canadienne, et travaillait sur un projet de missile classé secret défense pour l'armée des États-Unis. La Police montée royale canadienne (Royal Canadian Mounted Police, RCMP) détenait un fichier à son nom.

La CIA et la RCMP échangeaient régulièrement des informations, ce qui peut impliquer que les services de renseignements américains aient pris une part active à l'odyssée complexe de Ray, et donc au meurtre de Martin Luther King.

Bien que certains spécialistes de l'affaire pensent que Ray n'était qu'un homme de paille complètement innocent, d'autres suggèrent qu'il ait pu jouer un rôle dans le complot, quoique pas forcément en tant que tueur à gages. Melanson, qui appartient à cette deuxième école, avance que si Ray avait atteint sa destination finale, l'Angola, il aurait été discrètement éliminé.

Ce qui nous ramène tout droit au personnage quasi légendaire de « Raoul », l'employeur supposé de Ray. Ray aurait fait la connaissance de Raoul à Montréal. En 1968, un journaliste canadien suivit la piste d'un Montréalais répondant au signalement de Raoul, un certain Jules Ron « Ricco » Kimble, expatrié américain connu également sous les surnoms de « Rolland » ou « Rollie ».

Bien que la commission d'enquête de la Chambre des représentants des États-Unis sur les assassinats eût établi officiellement que Kimble niait avoir joué un rôle dans le meurtre, celui-ci confia en 1989 aux reporters John Edginton et John Sergeant qu'il avait en réalité participé à la conspiration visant à tuer Luther King. Selon Kimble, ce complot impliquait des agents de la CIA et du FBI, la « pègre », et Ray. (Kimble purge actuellement une double peine de réclusion à perpétuité à El Reno, dans l'Oklahoma, pour deux meurtres qui, selon ses dires, furent des assassinats politiques.)

Kimble a depuis assumé la responsabilité d'avoir présenté Ray à un agent de la CIA à Montréal : c'est cet agent qui aurait mis au point le système complexe de noms d'emprunt. Mais Kimble ne serait-il pas lui-même le mystérieux Raoul ? Malheureusement, l'affaire s'assombrit considérablement lorsque les journalistes Edginton et Sergeant citent un « ex-agent de la CIA » anonyme qui leur confirma que l'agence gouvernementale employait un espion basé au Canada et spécialisé dans la création de fausses identités. Le nom de cet espion ? Raoul Maora.

La preuve de l'implication du gouvernement dans l'assassinat de Luther King n'est, selon l'avis général, qu'indirecte. Mais lorsque l'on rassemble la totalité des éléments (la présence massive de services secrets et de forces de l'ordre américains à Memphis, les contradictions de l'accusation portée contre Ray, les noms d'emprunt canadiens, et le fait que Ray semble avoir bénéficié de l'important support logistique d'un réseau qui l'employait), le scénario prend un tour exceptionnellement curieux.

L'absence supposée du FBI sur les lieux du crime est à ce titre extrêmement bizarre. Le FBI prétendit n'avoir exercé aucune surveillance sur la personne de Luther King à Memphis. Cependant, pendant des années, ce dernier avait été la cible de la croisade démente menée par Hoover pour détruire le « Messie noir », pour reprendre le surnom dont les membres du Bureau affublaient Luther King. Que le FBI eût en toute innocence rappelé ses implacables chiens de guerre au moment même où la « menace » que représentait Luther King aux yeux de l'ordre et de la loi atteignait un pic, on ne peut le concevoir qu'au prix d'une crédulité forcenée.

La campagne illégale du FBI contre Luther King avait-elle comme finalité l'élimination pure et simple de ce personnage historique ? Un mémo du FBI datant de moins d'un an à peine avant la mort de Luther King à Memphis semble le sous-entendre : il affirme qu'un informateur de la CIA « pense que quelque part dans le mouvement des Nègres, au sommet, il doit se trouver un chef nègre "propre" et susceptible de profiter du vide et du chaos qui s'ensuivraient si Martin Luther King était soit décrédibilisé, soit assassiné ».

Aucun héritier ne s'imposa jamais (même si certains conspirationnistes particulièrement suspicieux aiment à rappeler l'apparition publique de Jesse Jackson peu après le meurtre, vêtu d'une chemise souillée du sang du martyr Luther King), mais par quelque moyen que ce soit, plus ou moins direct, voire par pure et simple chance, Hoover et ses gorilles virent leur vœu exaucé.

Sources principales

L'article « The Murder of Martin Luther King Jr », par John Edginton et John Sergeant, *in Covert Action Information Bulletin*, n° 34 (été 1990).

Murder in Memphis : the FBI and the Assassination of Martin Luther King, Mark Lane et Dick Gregory, Thunder's Mouth Press, 1993.

The Murkin Conspiracy : An Investigation Into the Assassination of Dr Martin Luther King Jr, Philip H. Melanson, Praeger Publishers, 1989.

Robert Francis Kennedy :
« RFK doit mourir ! »

Le meurtre de Robert F. Kennedy, le sénateur qui serait certainement devenu président s'il n'avait pas été froidement abattu, est un crime à la fois bien plus simple et pourtant bien plus mystérieux que l'assassinat de son frère, le président John F. Kennedy.

La somme des raisons possibles de l'assassinat de JFK repose dans des documents, des faits et des témoignages sous serment, pour la plupart assemblés et compilés par deux commissions créées par deux gouvernements différents. Les opérations concertées des services secrets, de l'armée et de la pègre apparemment sous-jacentes aux événements de Dallas parlent plus ou moins d'elles-mêmes. Lee Harvey Oswald a peut-être emporté le secret fatal de la mort de JFK dans sa tombe précocement creusée, mais il a laissé derrière lui un nombre considérable de documents qui représentent autant de pistes.

Le secret de l'assassinat de Robert Kennedy est quant à lui enfermé dans la chambre forte la plus hermétique qui soit : l'esprit d'un homme. Sirhan Bashira Sirhan, qui encore de nos jours est à l'ombre des barreaux (sa condamnation à mort ayant été commuée en réclusion à perpétuité), n'est jamais parvenu à se souvenir des événements de la nuit du 5 juin 1968, lorsqu'il fendit la foule et ouvrit sauvagement le feu en direction de Robert Kennedy. Contrairement à Oswald, très concerné par la politique, Sirhan ne nourrissait aucune conviction politique profonde. Et contrairement à celle d'Oswald, ancien marine qui avait parcouru le monde et dont la biographie était émaillée de curieuses relations, l'existence de Sirhan, avant l'assassinat dont il fut l'auteur, ne brille que par sa banalité absolue. Personne n'a jamais pu lui attribuer un mobile convaincant pour la simple et bonne raison que lui-même ne sait toujours pas pourquoi il a abattu Kennedy. Et même si cela avait été le cas, gageons que l'énigme resterait entière.

Mais commençons par les faits, avant de nous intéresser aux questions.

La nuit des primaires de Californie, Robert Kennedy, sénateur de New York, ancien ministre de la Justice des États-Unis et, bien évidemment, frère cadet du président assassiné quatre ans et demi auparavant, fêtait sa victoire décisive dans ce gigantesque État en prononçant un discours de circonstance dans son quartier général de campagne, installé dans le très huppé Ambassador Hotel de Los Angeles. Cette victoire en Californie allait sans aucun doute le propulser loin devant Hubert Humphrey (le vice-président falot de Lyndon Johnson) et Eugene McCarthy (libéral aux méthodes un peu brouillonnes) dans la course à la nomination du candidat démocrate pour les élections présidentielles, prévue lors de la réunion du Parti démocrate, à Chicago, au cours de l'été.

Après avoir lancé un ultime et enthousiaste « À nous Chicago ! Nous allons gagner ! » à ses sympathisants, Kennedy quitta son podium pour s'enfoncer dans les cuisines de l'Ambassador Hotel où la foule se pressait. À cette époque, les services secrets n'avaient pas pour mission, comme c'est le cas aujourd'hui, de protéger chacun des candidats présidentiels comme s'il s'agissait du président en personne et, pour des raisons assez nébuleuses, la police de Los Angeles (LAPD, Los Angeles Police Department) ne veillait pas ce soir à la sécurité de Robert Kennedy. Cette même autorité prétexta par la suite avoir reçu de Kennedy en personne l'ordre de rester à l'écart, déclaration qui ne fut jamais avérée par des preuves, et dont le but fut selon toute vraisemblance, à l'instar de nombreux arguments avancés par les défenseurs de la version officielle de l'assassinat de JFK, de rendre la victime responsable dans une certaine mesure de sa propre mort.

Alors que Kennedy se frayait un chemin dans la cohue, un jeune homme à la peau foncée – identifié par la suite comme Sirhan, semi-amnésique – bondit en direction du sénateur et cria : « Kennedy, espèce de fils de pute ! » Brandissant un pistolet de calibre 22, il tira une série de coups de feu. Kennedy s'affaissa, du sang coulant de la partie postérieure de sa tête sur le sol.

Un jour plus tard, il succombait.

Cinq mois plus tard, Richard Nixon, qui huit ans auparavant avait perdu les élections présidentielles les plus serrées de l'histoire des États-Unis au profit du frère aîné de Robert Kennedy, l'emporta sur le candidat démocrate remplaçant de Robert (Humphrey) par la deuxième plus petite avance électorale de l'histoire du pays.

La police de Los Angeles, qui était alors l'institution policière la plus respectée sur l'ensemble du territoire américain, grâce à l'image que la série radiophonique et télévisuelle *Dragnet* donnait d'elle, se chargea de l'enquête en créant pour l'occasion une nouvelle cellule, surnommée Special Unit Senator (« Unité spéciale sénateur »). Déterminée à ne pas répéter « les erreurs de Dallas », la police de Los Angeles constitua un dossier d'accusation en béton contre l'assassin isolé qui fut très facilement reconnu coupable.

Mais cette version officielle comportait des contradictions et des omissions. En voici quelques-unes, parmi les plus importantes :

• Le sang coulant de la tête de Kennedy provenait d'une blessure derrière son oreille droite. Des marques de brûlures dues à la poudre indiquaient que le coup de feu avait été tiré à une distance ne dépassant pas les 5 à 7,5 cm. Sirhan fit toujours face à Kennedy. Même si l'on opte pour l'explication commode, autant que fausse, selon laquelle Kennedy aurait soudain détourné la tête de son agresseur, l'incohérence demeure parfaite : Sirhan ne s'est jamais rapproché de moins d'un mètre du sénateur. Ce simple élément suffit pour conclure qu'il est physiquement impossible que Sirhan ait été le seul et unique assassin. Le médecin légiste qui établit la nature et la position de la blessure fatale, Thomas Noguchi, fut renvoyé et dut en passer par les tribunaux pour réintégrer son poste.

• D'après le nombre d'impacts de balles et le nombre de cartouches retrouvées sur les lieux du crime, on conclut qu'au moins treize coups de feu furent tirés. Sirhan était armé d'un pistolet huit coups, dont il déchargea le magasin sur Kennedy et les corps d'autres blessés. La police de Los Angeles expliqua que certains de ces impacts surnuméraires n'étaient rien d'autre que des « entailles causées par des chariots servant au transport d'aliments », et supprima les photographies où l'on pouvait voir ses propres inspecteurs examiner d'autres impacts. Les panneaux du faux plafond et les montants de porte sur lesquels on releva et photographia des impacts de balles surnuméraires furent détruits.

• Selon les rapports de police, au moins cinq témoins ont aperçu une femme vêtue d'une robe à pois s'enfuir de la scène du meurtre. Certains témoins – notamment une jeune collaboratrice du staff de Kennedy, du nom de Sandra Serrano – entendirent la même femme crier joyeusement, « On l'a descendu ! » Serrano demanda à la femme mystérieuse qui avait été abattu. « Le sénateur Kennedy », répondit alors celle-ci en se précipitant à l'extérieur. Un couple identifié sommairement comme les « Bernstein », rapidement interrogés par un policier, racontèrent la même histoire : ils se trouvaient à l'extérieur de l'hôtel, à côté d'un escalier, à un peu plus de trois mètres de là où se trouvait Serrano, lorsqu'ils eurent un échange très bref avec la femme qui continuait à crier : « On l'a descendu ! On l'a tué ! » Les « Bernstein » (qui ne purent être retrouvés par la suite) lui demandèrent pareillement : « Qui a été abattu ? », et reçurent la même réponse.

Sirhan a toujours soutenu qu'avant d'être plaqué au sol par, entre autres, le joueur professionnel de football américain Rosy Grier, qui ce soir était garde du corps de Kennedy, le dernier souvenir qu'il conservait de cette soirée était d'avoir bu un café avec une jeune femme. Serrano et un autre témoin, Thomas DiPierro, rapportèrent avoir vu Sirhan en compagnie de la femme à la robe à pois avant l'assassinat.

La police de Los Angeles répondit à leurs déclarations en dépêchant Enrique « Hank » Hernandez afin de procéder à un examen polygraphique dont le but n'était pas tant de vérifier la véracité de leurs propos que de les pousser par l'intimidation à revenir sur leurs témoignages, ce que, sous la pression impitoyable (et souvent abusive) de Hernandez, ils s'empressèrent de faire.

Le rapport du policier qui avait recueilli le témoignage des « Bernstein » disparut des fichiers de la police de Los Angeles. Les inspecteurs prétendirent que la femme à la robe à pois était Valerie Schulte, une ravissante étudiante de l'université de Santa Barbara, supportrice de Kennedy. Schulte était effectivement présente, et portait une robe à pois, mais la couleur de la robe et des pois en question ne correspondait pas à celle du signalement des témoins. De plus, Valerie Schulte ne correspondait pas à la description de Serrano et DiPierro (tous deux avaient remarqué que la femme

179

à la robe à pois avait un « nez curieux »). Sans compter qu'il est assez improbable que Schulte, véritable groupie de Kennedy, se soit enfuie de la scène du crime en criant « On l'a descendu ! » dans un accès de joie.

Ces trois points auraient dû suffire par eux-mêmes dès le début à aiguiller l'enquête sur la piste d'une conspiration homicide ; et, surtout, à la retirer des mains de la police de Los Angeles, qui avait manifestement décidé à l'avance que ses propres intérêts seraient mieux servis en coupant court à toute piste susceptible de révéler un complot visant à assassiner cet homme qui, quasiment destiné à devenir le prochain président des États-Unis, avait été assassiné dans leur propre juridiction.

Outre cette théorie selon laquelle la police de Los Angeles aurait été prête à tout pour sauver la face, il existe d'autres raisons, bien plus hypothétiques il est vrai, qui auraient poussé cette institution à négliger les pistes d'une conspiration plutôt qu'à les suivre. L'inspecteur chef de la Special Unit Senator, l'homme de toutes les décisions, était Manny Pena, un officier de la police de Los Angeles « retraité » ayant repris du service pour l'occasion. En réalité, il n'était pas parti à la retraite : il avait simplement changé d'employeur. Il travaillait pour la CIA.

Cette agence gouvernementale était en active collaboration avec les flics de Los Angeles, et Pena avait, paraît-il, pris part à de nombreuses missions pour la CIA, sous la couverture de l'Agency for International Development (AID, « Agence pour le développement international »). Connues par les fonctionnaires de l'agence gouvernementale comme « le département des mauvais coups » de la CIA, les unités qui agissaient sous la couverture de l'AID étaient censées être spécialisées dans les techniques d'assassinats.

Par le biais de Pena, et très probablement d'Hernandez, qui s'était vanté d'avoir participé à des opérations secrètes à l'étranger, la CIA fait figure de suspect numéro un dans la dissimulation des faits, révélatrice de la probable existence d'une conspiration. Mais pourquoi cette dissimulation ?

Sirhan en personne est l'élément le plus étrange de cette curieuse affaire. Non que l'individu lui-même soit terriblement bizarre. Mais qu'il s'agisse de ses trous de mémoire ; ses « écrits automatiques », parmi lesquels le griffonnage récurrent « RFK doit mourir ! » inscrit au hasard dans des carnets que la police de Los Angeles, pour une raison inconnue, crut bon de catégoriser comme « journaux intimes » ; l'analyse d'un ancien officier des services secrets de l'armée qui fit subir à Sirhan une évaluation psychologique du stress ; ou la déposition d'un témoin qui plus tard, dans un procès civil, cita des connaissances de Sirhan l'ayant décrit « dans un état de transe » ; tout aboutit à une seule et même conclusion, aussi bizarre qu'inévitable : lorsqu'il tua Robert Kennedy, Sirhan Sirhan était sous hypnose.

Le psychiatre de la défense, le docteur Bernard Diamond, justifia le diagnostic qu'il ne pouvait réfuter en spéculant que Sirhan s'était peut-être hypnotisé lui-même. Lorsque Sirhan fut placé dans le couloir de la mort, en attente de son exécution, le docteur Eduard Simson-Kallas (alors chef du programme d'évaluation psychologique de la prison) passa trente-cinq heures à examiner Sirhan. Lors d'une interview qu'il donna à William Turner, ancien agent du FBI devenu journaliste d'enquête, Simson-Kallas décrivit le diagnostic de Diamond comme « la bourde psychiatrique du siècle ».

Cité dans l'ouvrage de Turner, *The Assassination of Robert F. Kennedy*, Simson-Kallas avance que l'autohypnose n'est jamais assez profonde pour induire des blocages de la mémoire, et que bien qu'une amnésie partielle puisse découler d'une schizophrénie, Sirhan ne montrait aucun autre symptôme de cette maladie mentale.

Turner et son coauteur John Christian prétendent que Sirhan n'était qu'un assassin manipulé, le « robot de quelqu'un d'autre », qui avait ouvert le feu sur Kennedy non pas de sa propre volonté fanatique, mais en réponse à une suggestion post-hypnotique. Ils pensent également, et les faits vont dans leur sens, qu'en réalité Sirhan n'a pas tué

Kennedy (en fait, on trouva des cartouches de calibre 22 sur Sirhan, ce qui pousse Turner et Christian à croire que Sirhan ne tira aucun véritable coup de feu : rien que des balles à blanc).

Selon les auteurs (et un certain nombre de personnes ayant étudié ce crime historique), le coup de feu mortel a très probablement été tiré par un garde du nom de Thane Eugene Cesar, en position derrière Kennedy, sur sa droite, et qui admit publiquement avoir tiré son arme de son étui... et, en privé, s'en être servi. On ne sait trop comment, Cesar perdit sa cravate à clip dans la confusion qui suivit les coups de feu. Sur la fameuse photo de RFK mourant, étendu à terre, on peut voir une cravate à clip à moins de trente centimètres de la main droite de Kennedy, contractée dans un spasme.

Étant donné le nombre de balles ayant fendu l'air des cuisines de l'hôtel, Turner et Christian sont également d'avis qu'il devait y avoir un troisième tireur. Sirhan n'était rien d'autre qu'un leurre, un pantin sous influence.

Un des points faibles de ce type de théorie conspirationniste (celle d'un tireur manipulé psychiquement) est la quasi-impossibilité d'identifier le « programmeur » de l'assassin manipulé par hypnose. Turner et Christian ont cependant trouvé un candidat, bien que la preuve étayant leur hypothèse soit assez mince.

Ils désignent en l'occurrence William Joseph Bryan, « le plus grand expert mondial » de l'hypnose selon ses propres propos, qui n'engagent que lui. La plus grande gloire de Bryan fut d'avoir aidé à la résolution de l'affaire de l'Étrangleur de Boston en hypnotisant le suspect, Albert DiSalvo. Les carnets de Sirhan contiennent – parmi d'autres notes incohérentes en apparence – le nom « DiSalvo », répété encore et encore. Confronté à ce nom écrit de sa main, Sirhan fut déconcerté, et dit qu'il n'avait aucune signification à ses yeux.

Lorsqu'une journaliste (une jeune femme très belle, détail qui a son importance quand on parle de Bryan) demanda au très médiatique hypnotiseur son opinion sur Sirhan, celui-ci entra sans raison apparente dans une colère noire.

« Je ne commenterai pas ce cas parce que je ne l'ai pas hypnotisé », répondit sèchement Bryan, mettant ainsi un terme à l'interview.

En 1977, on retrouva le cadavre de Bryan dans une chambre de motel de Las Vegas. Deux call-girls, dont il requit souvent les « services » au cours des deux dernières années de sa vie, dirent à Turner et Christian que Bryan s'était vanté auprès d'elles d'avoir hypnotisé Sirhan, mais également d'avoir pris part pour la CIA à des « projets top secrets ».

Ces révélations furent peut-être de simples vantardises. Mais qui que fût l'hypnotiseur, il ne fait quasiment aucun doute que Sirhan a bien été hypnotisé. Qu'il ait été la victime d'un programme de contrôle psychique de la CIA lié à l'opération MK-Ultra[1], ou, comme on l'a envisagé à certaines occasions, qu'il ait fait partie d'une secte (une autre forme de contrôle psychique), voire les deux, voire ni l'un l'autre, la vérité à ce sujet n'est qu'un des nombreux secrets tapis, et peut-être perdus dans le tréfonds de l'esprit de Sirhan Sirhan, solidement et définitivement scellé.

Sources principales

The Second Gun, film documentaire de Ted Charach, 1973 (copie vidéo en possession des auteurs).

RFK Must Die ! Robert Kaiser, E. P. Dutton Co., 1970.

The Assassination of Robert F. Kennedy : The Conspiracy and Coverup, William Turner et John Christian, Thunder's Mouth Press, 1993.

---

1. Programme de recherche *in vivo* de la CIA sur le contrôle de l'esprit, entre autres par l'administration de LSD à des cobayes humains sans qu'ils en aient eu connaissance. *(N.d.T.)*

John Fitzgerald Kennedy :
la conspiration de la confusion

Le père de Michael Scott, Winston de son prénom, fut chef de la cellule CIA de Mexico de 1956 jusqu'à son départ à la retraite en 1969. Rien d'étonnant à ce que, lorsque Scott déboula au quartier général de la CIA à Langley (Virginie), il fût reçu avec une cordialité dont l'Agence ne fit preuve qu'en de très rares occasions.

Le père de Scott, agent secret de carrière, mourut en 1971, apparemment des complications d'un accident ménager. Peu avant son décès, il avait fini d'apporter les dernières corrections à ses mémoires de soudard de l'espionnage. Il avait même prévu un voyage à Washington, de son plein gré et avec beaucoup d'enthousiasme, afin de soumettre son texte à son ancien patron, le directeur de l'agence gouvernementale, Richard Helms, « l'Homme qui gardait les secrets ». Mais sa mort mit un terme à ses beaux projets de voyage. Quelques heures à peine après la découverte par son épouse, Mrs. Scott, de son corps sans vie effondré sur la table du petit déjeuner, James Angleton, le chef légendaire et terrifiant du contre-espionnage de la CIA, se trouvait sur le pas de la porte des Scott à Mexico, avec un objectif bien précis : récupérer le manuscrit.

En 1985, Michael Scott tâchait de gagner sa vie en tant que producteur à Hollywood. Par pure curiosité, il demanda un jour à consulter le livre qui n'avait jamais été publié. Il espérait que sa lecture pourrait l'aider à mieux comprendre la vie mystérieuse de son père. La CIA donna très rapidement suite à sa demande officielle par une invitation à Langley. Comme il le confia lui-même au journaliste Dick Russell, Scott fut présenté à un « officier supérieur qui avait manifestement lu le manuscrit », et qui lui dit qu'on « avait été obligé de supprimer des passages du manuscrit pour des questions de sûreté nationale ».

Quels passages ? demanda alors Scott fils.

« Eh bien, il était fait mention de Lee Harvey Oswald dans un chapitre, répondit l'officier de la CIA, et nous ne voulons pas que ce soit rendu public. »

La CIA traita le fils d'un de ses anciens officiers de la même façon qu'elle avait traité le Congrès et le peuple américains. Elle avait gardé au secret, voire détruit un nombre inimaginable de documents qui auraient pu éclaircir les circonstances de l'assassinat de JFK, et parmi lesquels beaucoup faisaient référence à l'alliance ultrasecrète qui avait associé la CIA à la pègre dans le but commun de faire disparaître Fidel Castro.

Helms avait menti à la Commission Warren[1] en déclarant sous serment que la CIA n'avait jamais envisagé d'utiliser Oswald comme un contact. En fait, en 1960, selon des mémos internes de la CIA, l'Agence « témoigna son intérêt en matière de renseignements » pour Oswald, qui bien entendu, à l'époque, était absolument inconnu. Lorsque Angleton présenta en personne ses condoléances à la famille Scott, il en profita également pour prendre possession d'un enregistrement audio où, semble-t-il, on pouvait entendre Oswald. Cet enregistrement avait été réalisé durant le célèbre séjour d'Oswald à Mexico, l'été 1963, quelques mois seulement avant l'assassinat de Kennedy.

Oswald (ou quelqu'un prétendant être Oswald, ou quelqu'un identifié comme Oswald) se rendit aux ambassades cubaine et soviétique, pour exiger avec toute l'irascibilité et tout le tapage possible un visa pour l'île de Fidel Castro. On raconte également qu'il rencontra des agents de l'espionnage soviétique et tenta d'obtenir un visa pour l'Union soviétique, d'où il s'était jadis enfui (pour retourner

---

1. Commission présidentielle sur l'assassinat du président Kennedy, elle est communément appelée « Commission Warren », du nom de son président. *(N.d.T.)*

aux États-Unis, étrangement sans avoir été molesté).
Les raisons de ces demandes successives font l'objet
d'un grand nombre de théories. Oswald était peut-
être un fou furieux, déchiré par ses désillusions
quant à la grandeur du marxisme (et qui plus tard
trouva en JFK un exutoire à ses frustrations). Ou
peut-être travaillait-il pour une agence de services
secrets, dans le cadre d'une opération anti-Castro.
À l'époque, il y avait beaucoup de projets de ce
genre.

À moins que quelqu'un n'ait essayé de faire
passer Oswald pour un communiste afin que
les Soviétiques puissent être désignés comme les
responsables de l'assassinat, ainsi que l'avance une
autre théorie. Peu après le meurtre du président,
la CIA et de puissants membres de la droite américaine (sous la houlette de H. L. Hunt, magnat
du pétrole) tentèrent de désigner Castro et/ou
Khrouchtchev comme les initiateurs du crime.

Quoi qu'il en soit, la voix d'Oswald fut enregis-
trée à Mexico et Winston Scott avait conservé une
des bandes chez lui. Il fallut attendre 1976 pour
que la CIA admette l'existence de ces enregistrements. Mais elle mentit en prétendant qu'ils
avaient tous été détruits avant l'assassinat. Plus
tard, le FBI déclara que la voix qu'on pouvait
entendre sur les bandes n'était pas celle d'Oswald.

Peut-être s'agissait-il de quelqu'un se faisant
passer pour lui ?

L'épisode de Mexico est sans aucun doute crucial si l'on désire présenter Oswald comme un fou émotionnellement très instable, mais en 1978, au cours d'un débat qui l'opposait à Mark Lane (avocat qui, le premier, s'est intéressé aux pistes conspirationnistes de ce mystérieux assassinat), David Atlee Philips, ex-chef de la CIA pour les opérations en Occident, déclara qu'il n'existait « aucune preuve que Lee Harvey Oswald se soit rendu à l'ambassade soviétique ». Si ce n'était lui, qui était-ce donc ? Lane décrivit l'étonnante déclaration de Philips comme une « confession ».

Philips fut le porte-parole de la CIA devant le Congrès à propos des enregistrements d'Oswald. Et c'est lui que la commission d'enquête de la Chambre des représentants des États-Unis sur les assassinats suspecta d'avoir été le mystérieux « Maurice Bishop », superviseur pour la CIA de la brigade cubaine anti-Castro « Alpha 66 ». Pour résumer : le même homme chargé de disculper la CIA dans l'incident de Mexico aurait orchestré personnellement ce même incident. C'est du moins l'avis de Lane, dont la carrière d'avocat et d'auteur fut vouée à accuser la CIA de la responsabilité de la mort de JFK.

Le chef cubain d'Alpha 66, Antonio Veciana, affirma qu'Oswald était présent à l'une des centaines de rencontres qu'il eut avec « Bishop ». Oswald ne dit rien, mais son comportement était étrange. « J'ai toujours cru que Bishop était derrière Oswald pour l'assassinat », confia Veciana à Dick Russell.

Le cousin de Veciana travaillait dans les services de renseignements de Fidel Castro. À la suite de l'assassinat, Bishop voulut que Veciana soudoie son cousin pour lui faire dire qu'il avait rencontré Oswald. Le but de Bishop était bien sûr de créer artificiellement un lien entre Oswald et Castro.

Les enquêteurs n'ont jamais pu clairement établir que Bishop et Philips n'étaient qu'une seule et même personne, mais les descriptions de l'apparence et des attitudes de Bishop sont les reflets fidèles de celles de Philips. Un portrait-robot de Bishop, réalisé par la police selon les indications de Veciana, resta à tout jamais gravé dans la mémoire du sénateur Richard Schweiker, membre de la commission d'enquête, comme le portrait craché de Philips. Lorsque Gaeton Fonzi, enquêteur de choc de la commission, confronta Veciana et Philips, tous deux eurent un comportement excessivement curieux. Après une courte conversation en espagnol, Philips s'enferma dans un mutisme absolu. Des personnes ayant assisté à la confrontation témoignent de l'expression de Veciana qui parut reconnaître son interlocuteur, bien qu'il ait déclaré que Philips n'avait été son supérieur que dix ans auparavant, pas plus tôt.

« Mais il sait », ajouta-t-il énigmatiquement.

D'après Fonzi, le fait que Veciana ait rechigné à confirmer la double identité de Philips découlait de deux événements dont il avait été victime. *Primo* : il fut accusé de trafic de stupéfiants (sa conviction profonde était que Bishop l'avait dénoncé). *Secundo* : il reçut une balle dans la tête, à laquelle il survécut.

Plus tard, Fonzi posa la même question à Veciana, mais d'une façon moins directe : « M'auriez-vous confirmé que j'avais mis la main sur Maurice Bishop si cela avait été le cas ? » Ce à quoi Veciana répondit avec un sourire : « Eh bien, vous savez... Avant de vous confirmer quoi que ce soit, j'aurais aimé lui parler. »

Dick Russell interviewa un colonel à la retraite du nom de Bill Bishop (pure coïncidence) qui prétendait avoir été un tueur professionnel à la solde de la CIA (durant cette entrevue avec Russell, Bill Bishop assuma l'assassinat du dictateur de la République dominicaine Rafael Trujillo). Bill Bishop affirma avoir travaillé pour la cellule de la CIA basée à Mexico, aux côtés de Philips, avec qui il supervisait les missions de Veciana. Il rendit public par la suite l'enregistrement d'une conversation téléphonique entre Veciana et lui-même dans les années quatre-vingt. Le ton des deux hommes indiquait clairement qu'ils se connaissaient.

Il ne fait aucun doute que la CIA ne souhaitait pas divulguer certains secrets relatifs à Lee Harvey Oswald. La saga Veciana nous éclaire au moins partiellement sur ce point. La théorie conspirationniste de l'assassinat de JFK, principalement parce qu'elle a fait couler plus d'encre que toutes les autres, est certainement celle qui repose sur les attaques les plus sérieuses. La crédibilité de celles-ci repose sur le manque de vraisemblance d'un Lee Harvey Oswald capable d'un homicide, ce personnage dépeint comme une personne si dérangée et pathétique qu'elle semble d'emblée incapable d'être à l'origine, même contre son plein gré, d'un acte plus complexe qu'une crise de nerfs.

La thèse assez peu convaincante de la culpabilité d'Oswald est au centre de l'ouvrage pontifiant de Gerald Posner, *Case Closed*. Afin de s'assurer que ses lecteurs saisissent bien son point de vue, Posner donne à ses chapitres concernant Oswald des titres aussi subtils que « On dirait un fou furieux », « Notre papa a perdu la tête », et « Il était de mauvaise humeur ».

Lorsque son livre parut en 1993, volontairement à l'époque du trentième anniversaire de la mort du président Kennedy, Posner, avec une audace méchamment teintée de suffisance, subtilisa à la Commission Warren son rôle d'arbitre final du drame Kennedy, du moins du point de vue des principaux médias.

Jonathan Kwitny, lui-même journaliste de grand renom, expliqua les raisons de la fascination de ces mêmes médias pour *Case Closed.*

« Tous les journalistes et représentants officiels qui, encore jeunes, avaient avalé la version officielle du FBI et de la CIA quant à l'assassinat, trente ans auparavant, avaient attendu tout ce temps que quelqu'un les soulage du doute qui n'avait pas manqué de les ronger », écrivit Kwitny dans l'article du *Los Angeles Times* qui fut l'une des rares mauvaises critiques de l'ouvrage de Posner.

La méthode utilisée par Posner pour éviter les éléments contraires à sa thèse fut d'asséner des « vérités » qu'aucune preuve ne soutenait avec un ton péremptoire d'autorité absolue. Les preuves qui démentaient ses propos étaient quant à elles enterrées dans des notes de bas de page. Cette technique saute encore plus aux yeux lorsqu'il s'attelle à l'étude des liaisons dangereuses Veciana-Bishop/Philips-Oswald.

Posner déclare qu'il « existe des doutes » quant à l'existence de Maurice Bishop. Il tait cependant les sources et la nature de ces « doutes », et ne croit pas bon de préciser que l'ancien directeur de la CIA, John McCone, a déclaré qu'un certain « Maurice Bishop » avait travaillé pour l'agence gouvernementale dont il était le principal responsable. En fait, un certain nombre d'autres employés de la CIA interrogés par Fonzi corroborèrent ses dires, l'un d'eux se référant spontanément à Philips par le pseudonyme « Bishop ».

« La CIA a nié avoir jamais placé Veciana sous la responsabilité d'un officier de tutelle des services secrets », écrit Posner. De son côté, la commission d'enquête de la Chambre des représentants, dans son rapport, « considère comme probable qu'une agence des États-Unis ait placé Veciana sous la responsabilité d'un officier de tutelle des services secrets ». Étant donné la profonde implication de la CIA dans les complots anti-Castro de l'époque, ladite « agence » est sans aucun doute la CIA.

Il est vrai, comme Posner le fait remarquer (en bas de page), que la commission dit dans son rapport « ne pas pouvoir [...] accréditer la version de Veciana ». Mais elle dit aussi, et cela, Posner ne le rapporte pas, qu'« aucun élément n'est parvenu à discréditer la version de Veciana » et que « certaines preuves l'étayent ». Dans l'une des notes de bas de page de son rapport, la commission reconnaît avoir « suspecté Veciana de mentir lorsqu'il nia que [Philips] était Bishop ». Le rapport indique également que, parallèlement, Philips « éveilla les soupçons de la commission » en déclarant ne pas reconnaître Veciana, principalement parce que Philips « avait jadis été profondément impliqué dans des opérations anti-Castro dirigées par la CIA ».

La commission, par sa propension à l'indécision et sa volonté de ne pas offenser la CIA, contribua plus à la confusion qu'elle n'y remédia. Et force est de constater que la confusion a été l'élément prépondérant de l'affaire JFK depuis le début, il y a plus de quarante ans. L'ouvrage de Posner ne contribua qu'à épaissir un peu plus l'écran de fumée.

Alors qui a tué JFK ? La CIA ? Des fanatiques anti-Castro ? La Mafia ? L'armée ? Une cabale d'extrémistes richissimes positionnés très à droite de l'échiquier politique ? Ou s'étaient-ils tous ligués, d'une façon ou d'une autre ? Chacune de ses thèses s'appuie sur des preuves tangibles. On peut même envisager que de multiples complots contre Kennedy se fondirent derrière une gigantesque opération de couverture, chaque partie protégeant son propre intérêt sans pour autant être au fait de l'implication des autres forces en présence.

Dick Russell écrit qu'il existait en 1963 trois complots contre JFK. Sa principale source de renseignements à cet égard est un homme répondant au nom de Richard Case Nagell, prétendant travailler pour un grand nombre de services secrets, américains et autres. Le premier complot visait à organiser un attentat à la bombe lors du discours de Kennedy dans le stade Orange Bowl de Miami. Bill Bishop, le présumé assassin de la CIA, corrobora ce point.

Le complot numéro deux – également corroboré de son côté par Bill Bishop – devait se réaliser à Los Angeles. La mission de Nagell était dans le cadre de cette opération de surveiller Vaughn Marlowe, un gauchiste de Los Angeles « envisagé pour le meurtre de JFK », comme le confia Nagell à Russell. Les recruteurs n'étaient autres que les membres d'Alpha 66 opérant sur Los Angeles. Marlowe ne sut que des années plus tard, et par le biais de Russell, qu'il avait été pressenti pour le rôle qu'Oswald devait finalement jouer. Mais il savait que Nagell l'espionnait. Au cours de la très médiatique enquête du *district attorney* de l'État de Louisiane Jim Garrison sur l'affaire JFK, Marlowe demanda par écrit à Garrison de le renseigner au sujet de Nagell.

Nagell avait également connaissance du troisième complot. Il était à ce point au courant de ses détails que Russell pense qu'il fut engagé par le KGB pour clore le complot par l'élimination d'Oswald. Nagell préféra se faire arrêter de son plein gré en tirant un coup de feu dans une banque d'El Paso, le 20 septembre 1963.

Le policier qui appréhenda Nagell se souvient que celui-ci, emmené en prison, lui adressa ces mots : « Je suis heureux que vous m'ayez attrapé. Je ne veux vraiment pas me retrouver à Dallas. »

« Qu'est-ce que vous entendez par là ? » demanda l'agent.

« Vous comprendrez bien assez tôt », répondit Nagell. Deux mois et deux jours plus tard, à Dallas, le président Kennedy fut assassiné.

Contrairement à Posner, Russell ne prétend pas avoir trouvé la vérité absolue. Loin de là. En commençant par interroger Nagell, Russell remonte la piste d'une galerie de personnages tous plus sinistres les uns que les autres. Parmi les plus terrifiants et les plus puissants, on peut citer le général à la retraite Charles Willoughby, ancien chef de l'espionnage pour le général Douglas MacArthur, dont les tendances politiques donneraient presque à MacArthur des airs de grand démocrate de gauche. MacArthur décrivit même un jour son subalterne comme un « petit fasciste ». Bill Bishop, qui se présentait comme un assassin de la CIA, seconda également MacArthur en tant qu'« assistant en renseignements », à en croire un document produit par Russell. « Si cela est vrai, souligne Russell, cela signifierait que Bishop aurait été sous les ordres du chef de l'espionnage de MacArthur, Charles Willoughby. »

Willoughby fut à l'origine d'un réseau de sympathisants d'extrême droite, dont le porte-parole le plus connu était le prêcheur fanatique Billy James Hargis, et parmi lesquels on comptait également le magnat texan du pétrole H. L. Hunt et Edward Hunter, l'agent de la CIA reconverti en journaliste qui aurait popularisé l'emploi de l'expression « lavage de cerveau ». Willoughby était en contact étroit avec Allen Dulles, directeur de la CIA licencié par Kennedy et chargé plus tard par la Commission

Warren d'enquêter sur le meurtre du président qui l'avait viré.

En 1975, après avoir écrit un article au sujet de l'assassinat de JFK pour l'hebdomadaire *Village Voice*, Russell reçut une lettre anonyme qui désignait « un général américain très connu né à Heidelberg (Allemagne) en 1892 » comme « le cerveau à l'origine de l'assassinat ». La lettre singulière désignait ce « général très connu » par le nom énigmatique de « Tscheppe-Weidenbach ».

Des années plus tard, alors qu'il lisait le livre de Bruce Cumings, *The Origins of the Korean War*, Russell tomba sur un obscur passage selon lequel « Adolf Tscheppe-Weidenbach, originaire de Heidelberg (Allemagne), avait changé de nom à son arrivée aux États-Unis, peu avant la Première Guerre mondiale, pour s'appeler Charles Willoughby ».

Concluons par une citation de Fonzi qui rapporte que Dave Morales, assassin de la CIA selon ses propres dires, se lança un jour dans une diatribe d'alcoolique contre Kennedy, qui avait envoyé à la mort des collègues entraînés par la CIA dans la fameuse Baie des Cochons.

« Il s'arrêta soudain, écrit Fonzi, et resta un moment silencieux. Puis, comme s'il ne s'adressait qu'à lui-même, il ajouta : "En tout cas, on s'est bien occupé de ce fils de pute, pas vrai ?" »

Sources principales

The Last Investigation, Gaeton Fonzi, Thunder's Mouth Press, 1993.

Reasonable Doubt, Henry Hurt, Henry Holt and Company, 1985.

Plausible Denial, Mark Lane, Thunder's Mouth Press, 1991.

Case Closed : Lee Harvey Oswald and the Assassination of JFK, Gerald Posner, Random House, 1993.

The Man Who Knew Too Much, Dick Russell, Carroll and Graf, 1992.

Conspiracy, Anthony Summers, Paragon House, 1989.

The Origins of the Korean War, tomes 1 et 2, Bouce Cumings, Yuksabipyungsa Press, 2004 (réédition).

Tout article ou ouvrage concernant l'assassinat de JFK est redevable au travail de centaines d'enquêteurs. Voici une liste loin d'être exhaustive des plus importants : Peter Dale Scott, Jim Garrison, Jim Marrs, Sylvia Meagher et Carl Oglesby.

Lady Di : princesse des cœurs ou promise du diable ?

Une des meilleures preuves de la puissance de la paranoïa instantanée sur Internet fut engendrée par la mort aussi subite que choquante de la princesse Diana. Bien après la fin du deuil public qui suivit son décès, les théories conspirationnistes au sujet de son « meurtre » continuèrent à sillonner le Net comme autant de conducteurs ivres sous amphétamines.

Ces théories passent par toutes les gammes imaginables, de la plus politique (Diana, menace pour la famille royale britannique) à la plus loufoque (Diana, victime expiatoire d'un rite satanique). La certitude que Diana avait été assassinée était si forte et si répandue que le milliardaire Mohamed al-Fayed, père de l'amant de Lady Di, Dodi, également tué dans l'accident, finit lui aussi par la défendre.

Sa quête forcenée de preuves établissant que Diana et Dodi avaient été assassinés par les services secrets britanniques, de concert avec la CIA, conduisit tout droit au procès d'un Autrichien qui avait tenté de vendre à Mohamed al-Fayed de faux documents qui étayaient la thèse du complot.

Son arrestation conduisit quant à elle à la plus étrange réfutation officielle de l'histoire de la CIA, qui déclara n'avoir absolument rien à voir avec la mort de Diana. Bien évidemment, pour beaucoup de conspirationnistes, le démenti de la CIA était en soi un aveu. Et qui pourrait les blâmer de le croire ?

Mais revenons tout d'abord aux faits :

Diana Spencer, princesse de Galles, mourut dans un accident de voiture le 31 août 1997. Elle sortait d'un dîner à l'hôtel Ritz-Carlton de Paris avec sa dernière conquête amoureuse, le susnommé Dodi al-Fayed. Dodi, dilettante professionnel, était le fils affable de Mohamed al-Fayed, l'immigré égyptien monstrueusement riche, également cité ci-dessus. Le père de Dodi était propriétaire de l'hôtel de luxe parisien.

Diana était toujours sous l'étroite surveillance de la presse. Une photo de la princesse prise par surprise dans un contexte privé, voire piquant, valait alors un bon paquet de dollars sur le marché des tabloïds. Son histoire d'amour avec Al-Fayed n'ayant été rendue publique que peu de semaines auparavant, la pression des paparazzi était à son comble.

Cherchant à éviter la meute de photographes, Diana et Dodi sortirent du Ritz par une issue secondaire pour rejoindre leur Mercedes. Ils étaient accompagnés par le garde du corps de Diana, Trevor Reese-Jones, et un chauffeur engagé par la famille Al-Fayed, Henri Paul.

Durant l'autopsie, les médecins légistes trouvèrent une grande quantité d'alcool dans le corps de Paul. Les analyses révélèrent également qu'il était sous antidépresseurs, ce qui, selon les conclusions des enquêteurs, n'influença pas directement son degré d'intoxication à l'alcool. Cependant, la présence de ces drogues permet d'imaginer un peu plus précisément l'état d'esprit de Paul, ainsi que les raisons qui ont pu le pousser à risquer sa propre vie, et celle de ses passagers.

Paul avait, en sus de grandes quantités d'alcool dans son système sanguin, une grande quantité d'argent sur son compte en banque, déposée peu de jours avant la nuit qui lui fut fatale.

La voiture qui transportait Diana ne tenta pas d'éviter les photographes. Un groupe de paparazzi remarqua le véhicule et se lança à sa poursuite. Pour une raison inconnue, le chauffeur princier atteignit des vitesses avoisinant les 200 km/h. Lorsque la voiture entra dans le tunnel du pont de l'Alma, son conducteur en perdit le contrôle. L'ensemble des passagers mourut, à l'exception de

Reese-Jones, seul à avoir mis sa ceinture de sécurité, ce qui en soi pourrait faire figure de morale de l'histoire.

À sa mort, Diana était sans aucun doute la femme la plus célèbre de la planète (avec toutes nos excuses pour Madonna), principalement grâce à son mariage « digne d'un conte de fées » avec le futur roi de Grande-Bretagne, ainsi qu'à la succession apparemment infinie de scandales sordides qui avait mis un terme désastreux au conte de fées en question. Lady Di était autant adorée par le public que méprisée par sa belle-famille. Au prix d'une agonie matrimoniale de près de douze ans, Diana avait acquis une place très enviable sur le devant de la scène mondiale.

Mais quelqu'un voulait la priver à tout jamais des feux de la rampe.

C'est du moins ce que croient celles et ceux qui ont décidé d'acheter une des théories conspirationnistes relatives à Diana. Et le catalogue en est très fourni, de la plus jet-set à la plus étrange. Dans cette première catégorie, la théorie la plus populaire veut que Diana ait été assassinée parce que la couronne britannique n'aimait pas les musulmans, et que Diana, manifestement, s'était entichée de l'un d'entre eux. Elle avait enfin trouvé un prétendant sérieux après sa rupture avec le prince Charles (ainsi qu'avec son ancien amant avec qui elle avait trompé l'héritier du trône). Mais Dodi n'était pas un prétendant convenable pour une princesse britannique.

Le père de Dodi Fayed détenait les fameux grands magasins londoniens Harrod's. La famille Al-Fayed avait toujours cherché à se faire accepter par l'aristocratie anglaise, mais aux yeux de l'élite britannique très conservatrice (sans parler de la famille royale, ultraguindée), ses membres restaient tout simplement trop... basanés, dirons-nous. Cependant, si Dodi parvenait à ravir le cœur de Diana, les Al-Fayed pourraient enfin entrer dans ce monde qu'ils convoitaient. Plutôt que de courir le risque d'avoir à traiter un jour ces indésirables d'égal à égal, le pouvoir occulte de l'aristocratie d'outre-Manche aurait préféré tuer Dodi et Lady Di.

L'un des plus ardents (et bruyants) défenseurs de la « conspiration antimusulmane » fut Sherman Skolnick. En fait, Skolnick est un des plus bruyants défenseurs d'à peu près toutes les thèses conspirationnistes. Il débuta sa carrière en étudiant l'assassinat de Kennedy, et se diversifia au cours des années. Ses écrits, qui s'attachent à quasiment tous les sujets possibles et imaginables (par exemple, il prétendit que la faillite de la Barings Bank portait le sceau invisible du pape en personne !), sont très facilement consultables sur Internet.

Skolnick prétend que les nombreux journalistes, britanniques et européens, avec lesquels il s'est entretenu à la suite de la mort de Diana s'accordaient tous sur un point :

« Diana a été assassinée », rapporte-t-il. « Et la raison de ce meurtre est toute simple : les services secrets britanniques sont chargés de protéger la Couronne. La Couronne ne voulait pas d'un nouveau beau-père pour l'héritier du trône, le prince William. Elle ne voulait pas d'un musulman. »

Bien sûr, on peut se demander pourquoi, dans ce cas, ne pas se contenter d'assassiner Dodi ? Pourquoi éliminer aussi Diana ? La réponse est assez simple : les nombreuses incohérences sont le propre de ce genre de théories.

Quoi qu'il en soit, la théorie de Skolnick est un exemple parfait de manque d'imagination conspirationniste. Beaucoup d'autres théories relatives à la mort de Diana sont bien plus exotiques. Un anonyme se dissimulant derrière le pseudonyme « Ru Mills » proposa (sur Internet, bien évidemment) la théorie selon laquelle « qui contrôle la princesse Diana, contrôle le monde ».

Dans son exposé plus que trouble, monsieur Mills (ou madame Mills, c'est difficile à dire) avance qu'un « culte de Diane (Diana) » existe depuis la Rome antique. Notre chère disparue homonyme en aurait été l'héritière, entre autres personnes. Ses fils, William et Harry, seraient de sang divin.

« L'actuelle famille royale britannique est une imposture », écrit Mills. « La maison Windsor est une supercherie. Mais l'ascendance de Lady Diana Spencer remonte à Charles II de la maison Stewart. La maison Stewart est de vrai sang royal. »

Et quelle est donc l'origine de ce « vrai sang royal » ? Elle remonte, à en croire Ru Mills, à la dynastie mérovingienne, une famille royale française qui régna environ entre 500 et 750 après Jésus-Christ.

L'histoire des Mérovingiens, à l'instar de celle du roi Arthur et de ses chevaliers de la Table ronde, repose moins sur des documents historiques que sur la légende, le mystère et le mysticisme. Il existe entre autres une théorie très populaire à leur sujet, que nous exposons dans notre chapitre « Le suaire et les manuscrits », et que Ru Mills tient sans la moindre hésitation pour une vérité absolue.

« Toute royauté européenne authentique descend des Mérovingiens, déclare Ru, qui selon la croyance sont les descendants de Jésus-Christ. »

Rien que ça ! Diana, une arrière-arrière-arrière-arrière-etc.-petite-fille de Jésus en personne ! En d'autres termes, l'accident de la route était bien plus qu'un triste exemple des dangers de la conduite en état d'ivresse : ce fut une véritable crucifixion.

Diana fut donc sacrifiée, à en croire la théorie (si l'on peut appeler cela une « théorie »). Elle n'avait pas laissé le choix aux maîtres du Nouvel Ordre mondial, vous comprenez. Ils voulaient qu'elle choisisse un nouvel époux. Et ils avaient un homme précis en tête. Qui donc ?

Bill Clinton, rien de moins.

Oui, selon leurs plans, Bill Clinton devait divorcer de Hillary (ou plus simplement encore, la tuer) pour épouser Diana. La princesse, selon Ru Mills, n'était pas prête à accepter cela. Elle refusait de convoler avec Bill Clinton. (Bien vu, Mills.)

Ses fils, William et Harry, perpétuent à présent l'héritage des Mérovingiens. Ils seront à l'origine d'une nouvelle religion qui conquerra le monde. Très logiquement, celui ou ceux qui les contrôle-ront domineront le monde. Et à la suite de la mort de Diana, c'est la famille royale britannique qui les contrôle, cette même famille qui voyait en Diana une incorrigible rebelle.

L'idée selon laquelle la famille royale contrô-lerait tout n'est pas nouvelle. Dans notre chapitre « Jack, l'éventreur royal », nous avons évoqué la possibilité que la couronne britannique soit un nid de francs-maçons qui auraient perpétré des crimes au nom de leurs rites occultes.

Des francs-maçons ? Peut-être. Mais des sata-nistes ? Apparemment, rien de ce que l'on peut ima-giner à leur sujet n'est assez maléfique ou sordide. Prenons par exemple cette autre théorie conspira-tionniste, attribuée à une source anonyme et révélée dans le numéro de l'hiver 1998 d'un magazine au nom plus qu'explicite, *Paranoia* :

« Si vous croyez que l'assassinat de Diana est la conséquence des différends qui l'opposaient à la famille royale, ou l'aboutissement d'un complot raciste visant à tenir les Égyptiens écartés de la couronne britannique, vous êtes dans l'erreur... L'assassinat fut un acte rituel, un rite si efficace que vous ne vous étiez pas même doutés que c'en était un. »

Plus clairement, le « meurtre » de Diana fut un rite satanique. Personne ne pouvant imaginer que la vérité soit aussi abracadabrante, les conspirateurs bénéficient de la meilleure des protections.

L'auteur anonyme de cette « théorie » fait allusion à un culte satanique international dont les membres se compteraient parmi les personnes les plus influentes de notre planète. Sans surprise, Bill Clinton en fait partie. Le Premier ministre britannique Tony Blair (le Bill Clinton anglais, en somme) serait également un des suppôts du diable, tout comme le général Colin Powell, que l'article présente comme « le prince vaudou ».

Quel élément, quelle preuve peut amener à penser qu'un accident de la route dû à l'alcool, absolument banal en soi (excepté pour les victimes), soit l'œuvre de satanistes ? Un des principaux indices, selon cette théorie, est le fait que Diana fut tuée le dernier jour d'août, et que « les derniers jours des mois sont très importants dans le satanisme ».

Sic.

L'auteur anonyme dresse ensuite une liste de photographies sur lesquelles, selon lui ou elle, Diana est vêtue peu avant sa mort d'habits occultes, mais pas tape-à-l'œil. Sur l'une des photos, « elle porte une robe sur laquelle sont visibles des pentacles de paillettes, on peut en voir très exactement 13 sur la partie supérieure de la robe ». La conclusion de l'auteur : « Diana semble vêtue comme la promise de Satan. »

Ces deux théories font partie des plus extrêmes, et donc des plus intéressantes. Parce que, à dire vrai, la plupart des théories conspirationnistes concernant Diana sont d'un ennui absolu.

On doit la première allusion à un complot dans les médias les plus populaires au facétieux Kadhafi qui, quelques jours seulement après l'ultime virée de Lady Di, mit les pieds dans le plat avec une théorie ébouriffante que Reuters s'empressa de communiquer par dépêches. Bien joué, Mouammar ! Mais nous avions nous-mêmes une bonne longueur d'avance sur l'auteur du Livre vert. Depuis la première édition de nos *70 Plus Grandes Conspirations (70 Greatest Conspiracies)*, nous gérons notre propre site Internet, « www.conspire.com ». Il suffit à nos lecteurs de cliquer sur un lien pour que les idées les plus tordues qui occupent leur esprit apparaissent instantanément sur l'écran haute définition de 3 mètres sur 2,5 de notre QG.

Nous avons reçu notre premier e-mail conspirationniste au sujet de Lady Di dans les minutes (oui, vous avez bien lu, les *minutes*) qui suivirent les premiers flashes d'information. Cet e-mail fut très vite suivi de dizaines d'autres. Un peu plus loin sur le Net, une poignée de sites et un *news group* uniquement dédié à ce sujet brûlant (http://alt.conspiracy.princess-diana) virent le jour, et croulèrent aussitôt sous des milliers de messages et d'e-mails. La plupart d'entre eux ne concernaient que des thèmes plutôt conventionnels. La « conspiration antimusulman » était très populaire, de même que la théorie absolument illogique selon laquelle le prince Charles voulait se débarrasser de Diana afin de pouvoir épouser « librement » sa maîtresse de toujours, et quelque peu prématurément fanée par les années, Camilla Parker-Bowles.

N'oublions pas non plus la théorie selon laquelle Diana aurait été assassinée par les cartels du trafic d'armes international, désireux de mettre un terme à sa croisade contre les mines antipersonnel (même si, paradoxalement, il y a à présent beaucoup plus de personnes au courant de cette croisade qu'il n'y en avait avant son décès).

Selon une autre version du scénario conspirationniste, Diana aurait simulé sa propre mort. Un peu comme le *« king »* américain, Elvis Presley ! (Cette analogie a sans l'ombre d'un doute un sens très profond, mais nous ne sommes pas encore parvenus à déterminer lequel.)

Très franchement, toute cette histoire nous a passablement découragés. C'est à nos yeux l'exemple parfait de la théorie du complot préfabriquée. Au bon vieux temps, à l'époque où les conspirationnistes étaient encore considérés comme des cinglés, il fallait bien trouver d'une façon ou d'une autre une preuve, ou du moins un élément pour échafauder pareille théorie. Mais assez étonnamment, ces dernières années, être conspirationniste est devenu « cool ». À présent, dès qu'une pauvre célébrité tire sa dernière révérence, tous les lycéens boutonneux de notre planète ayant accès à Internet s'empressent de se connecter dans l'espoir d'être les premiers de leur classe à formuler la théorie du jour.

La première étape consiste à avancer le mobile de ce qui ne saurait être qu'un homicide. Et comme tout le monde a une bonne raison de *tuer* quelqu'un, c'est l'étape la plus facile. Le plus important étant d'accompagner sa théorie d'un clin d'œil entendu, preuve irréfutable de la véracité de la conspiration.

L'ironie du destin, en quelque sorte. Lorsque nous avons commencé à écrire ce livre, il nous semblait que les gens prenaient trop souvent ce qu'ils lisaient dans les quotidiens ou voyaient durant le journal télévisé pour des vérités absolues. Et nous avions la certitude que c'était justement ce que les médias de masse recherchaient.

Pensez par vous-mêmes ! avons-nous crié sans véritable succès. À présent, les conspirationnistes eux-mêmes sont devenus aussi prévisibles que n'importe quel présentateur de JT interviewant un député.

Nous assumons notre petite part de responsabilité dans cette mode de la conspiration, et inutile de dire que nous ne nous en plaignons pas. Mais ces derniers temps, la vague du complot semble enfler démesurément, et souvent sans raison.

Sources principales

« The Murder of Princess Diana », anonyme, *in Paranoia*, hiver 1998.

« Lots of cash in driver's account », dépêche de l'agence Reuters, 4 février 1998.

« Princess Diana : 1961-1997 », *Newsweek*, 8 septembre 1997.

Mort d'une princesse : l'enquête, Thomas Sancton et Scott MacLeod, Plon, 1998.

11-Septembre

Frappées par les attaques terroristes du 11 septembre 2001, les tours jumelles du World Trade
Center s'effondrèrent dans un brouillard impéné-
trable. Les deux édifices furent réduits en cendres
et en poussières, et des millions de tonnes de débris
pulvérisés aveuglèrent Lower Manhattan, quartier
d'affaires de New York. Mais la catastrophe à
laquelle on a donné aux États-Unis le surnom de
« 911[1] » a également soulevé un écran de fumée
d'une tout autre nature, une nuée de théories du
complot et de spéculations qui trouva sa source
dans le refus obstiné du public de croire qu'un
événement aussi dramatique, aussi sanglant et
aussi traumatisant, ait pu arriver aux États-Unis.

Les théories de la conspiration s'amoncelèrent
par tonnes, comme les gravats de la catastrophe,

---

1. À la fois la date 09/11 (11 septembre, la nomenclature
anglo-saxonne voulant que l'on précise d'abord le mois, puis le
jour) et numéro d'appels d'urgence aux États-Unis. *(N.d.T.)*

mais l'écrasante majorité relevait très franchement de l'absurdité la plus complète, si ce n'est la plus dangereuse. Passons rapidement en revue quelques thèses glanées au hasard sur Internet :

• Les quatre avions ne furent pas détournés, mais dirigés à distance.
• Les tours furent détruites par des bombes posées au préalable sur place, ou par un rayon laser.
• Aucun avion n'a touché de plein fouet le Pentagone, ce fut un missile ou un camion chargé d'explosifs.

Pour toute personne désireuse de chercher la vérité dans les décombres du 11-Septembre, la prolifération de théories du complot ineptes, démentes ou simplement malavisées représenta un obstacle insurmontable, empêchant toute enquête sérieuse sur l'éventuelle responsabilité du gouvernement américain, une sorte de couverture qui rappelle étrangement la folie de l'ère reaganienne, durant laquelle le désir de détruire « l'empire maléfique » de l'URSS, en atteignant son paroxysme, conduisit à de bien étranges complots, par lesquels la CIA aurait, dit-on, financé le KGB.

Pourquoi le 11-Septembre a-t-il entraîné une telle surabondance de théories de la conspiration ? La réponse la plus facile consiste à dire que plus grand est le désastre, plus grande est l'incrédulité qui en découle. Et le 11-Septembre est sans doute le plus grand désastre américain. La réponse la plus retorse voudrait quant à elle que la plupart des théories conspirationnistes formulées à cette triste occasion ne soient pas des « théories », mais de la pure et simple propagande. Le 11-Septembre alla à l'encontre de beaucoup d'idées préconçues. Une certaine frange de la communauté conspirationniste a de tout temps été convaincue que les États-Unis n'étaient jamais la victime des événements, mais toujours l'oppresseur et l'agresseur. Bien entendu, cette idée n'est pas dénuée de fondements politiques et historiques, mais lorsque les rôles traditionnels furent renversés, lorsque les États-Unis furent soudain victime, la réalité ne cadrait plus aux yeux de ces conspirationnistes avec la représentation qu'ils s'en étaient faite jusque-là. Lorsque nos idées préconçues sont attaquées, il n'existe qu'une alternative : ou bien l'on modifie nos idées, ou bien l'on modifie les faits pour les faire correspondre à nos idées. On travestit la vérité pour qu'elle corresponde à notre point de vue.

De nombreux conspirationnistes choisirent la seconde option, élaborant des théories selon lesquelles les États-Unis auraient été complices des attaques terroristes, les perpétrant même, les thèses les plus extrêmes allant jusqu'à affirmer que la catastrophe n'avait jamais eu lieu ! Le 11-Septembre ne serait qu'un gigantesque canular. Il conviendrait dans ces cas de parler non pas de « théories », mais bien de « détournements ».

À l'ère d'Internet, et plus précisément depuis le crash du vol 800 de la TWA et la mort de la princesse Diana (voir chapitre précédent), les théories du complot semblent apparaître par génération spontanée autant qu'instantanée. De façon très prévisible, il fallut à peu près une semaine pour que la théorie de base vît le jour. Le site www.voxnyc.com soumit la version « officielle » du petit conspirationniste dogmatique le 19 septembre :

« L'analyse scientifique minutieuse de la masse d'événements, de peuples, de nations, de motivations, de propagandes, de personnalités et d'histoires déterminant notre actuel contexte historique ne peut conduire qu'à une seule conclusion : les puissances secrètes alignées aux côtés de George Bush ont prévu d'attaquer la population des États-Unis, de faire porter la responsabilité de ces attaques par les terroristes islamistes et d'utiliser ces mêmes attaques comme un prétexte à l'abolition des libertés individuelles les plus fondamentales et des institutions démocratiques, et, dans la confusion qui en résultera, elles entreront en guerre au mépris du droit international avec l'Iraq et d'autres nations, islamiques ou pas, bénéficiant de ressources naturelles, plus précisément de réserves de pétrole, principal objet de convoitise de ce groupe obscur d'industriels de la pétrochimie et de l'armement. »

On peut se demander à juste titre comment une « analyse scientifique minutieuse de la masse d'événements, de peuples, de nations, de motivations, de propagandes, de personnalités et d'histoires déterminant notre actuel contexte historique » a pu être réalisée en moins de huit jours.

Tâcher de discuter point par point ce type de théorie est aussi vain que futile. Comment débattre avec des personnes qui se font fort d'avoir raison sur tous les points, même contradictoires ? D'un côté, les partisans de cette thèse soutiennent (en se basant sur des faits dûment avérés) que le gouvernement américain a négligé de nombreuses mises en garde contre une attaque imminente de hauts lieux des États-Unis par Oussama Ben Laden. Mais d'un autre côté, ils déclarent (cette fois-ci sans la moindre preuve) que Ben Laden est innocent.

Michel Chossudovsky, professeur, auteur (entre autres ouvrages de *Guerre et mondialisation : la vérité derrière le 11-Septembre*) et l'une des stars conspirationnistes des semaines qui suivirent immédiatement la catastrophe, ne démord pas de la thèse de l'innocence de Ben Laden, et déclare dans son livre : « Quelques heures après les attaques terroristes du World Trade Center et du Pentagone, l'administration Bush désigna sans la moindre preuve Oussama Ben Laden et l'organisation Al-Qaïda comme les suspects numéro 1. »

Sans la moindre preuve ? Les myriades d'avertissements étaient, bien au contraire, autant de preuves de leur culpabilité. Lorsque, pendant près de cinq ans, on reçoit mise en garde sur mise en garde avertissant que Ben Laden projette une attaque, et que l'on est finalement attaqué, il n'est pas très difficile de trouver le responsable.

Des théories conspirationnistes de ce genre sont de pures tautologies, dans le cadre desquelles tout élément contredisant catégoriquement la thèse soutenue est considéré comme relevant de la « désinformation » et, de ce fait, comme une *confirmation* de la thèse. Une théorie que l'on confirme par *absolument tout* ne peut être véritablement confirmée. Ou bien les États-Unis ont été informés de l'imminence des attaques, ou bien ils ne l'ont pas été. Dans les deux cas, selon la théorie présentée ci-dessus, Ben Laden est innocent.

Une conclusion s'impose au sujet de ce raisonnement : les personnes qui l'adoptent avaient déjà leur opinion bien arrêtée avant de s'intéresser aux faits. Si la réalité entre en contradiction avec votre opinion, rien de plus facile que de nier la réalité. Appeler un certain nombre de thèses relatives au 11-Septembre « théories conspirationnistes », c'est leur donner beaucoup trop d'importance. Ce ne sont en réalité que des dénégations, très peu différentes dans la forme (et parfois, assez désagréablement, dans le fond) du révisionnisme.

Si nous pouvons paraître agacés par ces nouvelles théories, c'est par ce que, effectivement, nous le sommes. Il fut un temps, pas si reculé, où les théories du complot étaient autant de défis à l'opinion établie, à l'orthodoxie. Et ces dernières années, nous avons vu l'émergence d'une nouvelle génération de théories de la conspiration qui représentent en soi une nouvelle orthodoxie, aussi monolithique et dogmatique que l'opinion préfabriquée relayée par les médias de masse.

Si nous ne connaissions pas aussi bien notre sujet, nous aurions pu croire que le gouvernement avait été à l'origine de cette dissémination de théories farfelues, véritable campagne de désinformation visant à discréditer toute question légitime concernant les événements du 11-Septembre. L'administration Bush n'a effectivement pas fait tout ce qui était en son pouvoir pour endiguer cette course aux théories fumeuses. Lorsque Bush, en novembre 2002, chargea Henry Kissinger en personne de diriger une « enquête indépendante » sur le 11-Septembre, on entendit tant du côté des conspirationnistes que de celui de certains commentateurs plus orthodoxes, le même cri de ralliement :

« Encore une Commission Warren[1] ! » Kissinger préféra finalement renoncer à sa mission, plutôt que de produire une liste des clients de son agence de lobbying et de consultants, Kissinger Associates. Il aurait en effet été contraint de révéler ses fichiers gardés jalousement hors de la portée du grand public, parce que, selon toutes probabilités, certains gouvernements ayant eu recours à ses services furent liés aux terroristes responsables des attentats du 11-Septembre.

Kissinger considéra donc en définitive qu'il était plus important de protéger ses clients que de protéger son pays. Il se refusa à élucider les mystères du 11-Septembre. Les raisons qui poussèrent George W. Bush à voir en Kissinger l'homme de la situation restent en soi un mystère.

Le manque d'intérêt et la répétitivité de ce que l'on pourrait appeler les « théories de la dénégation » n'aboutissent qu'à un seul résultat : obscurcir plus encore un événement déjà si perturbant et contradictoire à la base que l'assassinat de JFK fait, en comparaison, figure de modèle de clarté.

---

1. La Commission Warren avait été vivement critiquée pour sa partialité, particulièrement sensible dans ses conclusions pour le moins fracassantes : Lee Harvey Oswald serait, selon elle, le seul et unique auteur des trois coups de feu tirés contre le président John F. Kennedy. *(N.d.T.)*

D'où notre petit message d'intérêt public : « S'il vous plaît, théorisez en adultes *responsables.* »

Les mêmes personnes, parmi lesquelles figure le professeur Chossudovsky précédemment cité, qui nous disent qu'il n'existe « aucune preuve » de la culpabilité du réseau de Ben Laden dans les attentats du 11-Septembre, n'ont de cesse de nous répéter également que Ben Laden est une marionnette de la CIA. (Encore une fois, ils s'entêtent à vouloir avoir raison, quitte à se contredire. Si Ben Laden est innocent, pourquoi est-il important de souligner qu'il est à la solde de la CIA ?) Jared Israel, auteur très prolifique du site www.emperorsclothes.com, nous informe que « Ben Laden et consorts ont été des employés de la CIA, qui leur a fourni le meilleur entraînement, des armes, du matériel et énormément d'argent durant des années ». Vraiment ? Ben Laden, un *employé* de la CIA ? « C'est ce que le *[New York] Times* rapporte dans son numéro du 24 août 1998 », prétend Israel.

Très impressionnant travail sur les sources, à ceci près que le *New York Times* n'a jamais dit une chose pareille. Ce qu'il a rapporté, et ce qui a été largement prouvé par de nombreuses enquêtes et de nombreux documents durant toute la décennie qui précéda le 11 septembre 2001, de même que par la suite des événements, c'est que, durant la guerre d'Afghanistan (qui s'étala de 1979 à 1989), la CIA finança les forces de la guérilla des moudjahidine qui s'opposaient sans relâche à la puissance militaire soviétique.

Ben Laden, qui avait des millions de dollars à sa disposition et s'illustrait déjà par sa propension fanatique à se terrer dans des grottes à flanc de montagne au nom de sa cause, était une figure bien connue de la résistance afghane.

Ce syllogisme de pacotille (la CIA finançait la résistance, or Ben Laden faisait partie de la résistance, donc la CIA finançait Ben Laden) est devenu un véritable credo, ainsi que la clef de voûte de la plupart des théories conspirationnistes relatives au 11-Septembre. Mais est-ce vraiment possible ? La CIA pourrait-elle être l'associée de l'ennemi public numéro 1, l'homme qui massacra plus de civils américains en un seul jour qu'aucun autre ennemi dans l'histoire ? La CIA est-elle à ce point maléfique ?

Des auteurs très réputés ont déclaré que la CIA avait « entraîné » les hommes de Ben Laden, auxquels ils se réfèrent souvent comme « les mercenaires musulmans de la CIA ». Un petit journal canadien, le *Vancouver Courier*, publia le 1er octobre 2001 un article selon lequel « les États-Unis avaient encouragé l'islam radical ». Il ne fallut pas longtemps pour que ce très court passage soit relayé à travers le Net tout entier.

Les faits sont considérablement plus compliqués que ce que les conspirationnistes semblent croire, et certainement plus ambigus que ce que, de l'autre côté de l'échiquier médiatique, les partisans de la politique américaine aimeraient faire croire au monde.

La résistance armée afghane qui s'opposa aux Soviétiques durant les années quatre-vingt était divisée en six factions, voire plus. Il ne s'agissait pas uniquement de « fanatiques islamistes » ou de « terroristes », bien qu'il y en eût parmi les résistants. Et parmi eux, il y avait les « Arabes afghans », le groupe de Ben Laden. L'adjectif « afghan » ne faisait référence à rien d'autre qu'à leur zone d'action géographique et à leur cause. Ils étaient arabes pour la plupart, parfois musulmans, et étaient originaires de pays tels que l'Arabie saoudite, patrie de Ben Laden. Les « Arabes afghans », connus pour leur fanatisme, furent amenés à constituer par la suite Al-Qaïda, l'organisation terroriste internationale d'Oussama Ben Laden. Leur statut en Afghanistan était celui de mercenaires, bien qu'ils aient été motivés non par l'appât du gain, mais par leur extrémisme religieux. Dieu leur enjoignait de bouter les infidèles soviétiques hors d'Afghanistan, terre musulmane.

Une partie des moudjahidine nés en Afghanistan partageait leur fanatisme, mais l'écrasante majorité ne désirait qu'une chose : récupérer leur pays. Ils voulaient simplement que les Soviétiques cessent de massacrer leur peuple et rentrent chez eux. Ces Afghans « modérés » (faute de meilleur terme) ne s'intéressaient que très peu aux « Arabes afghans », qui de leur côté se souciaient encore moins d'eux.

Les hommes de Ben Laden assassinèrent Ahmad Shah Massoud, le chef afghan qui donna le plus de fil à retordre aux Soviétiques : la milice de Massoud avait repoussé au cours de la guerre près de neuf offensives russes. Deux jours avant le 11-Septembre, Massoud fut assassiné par des bombes humaines.

La CIA aurait pu offrir la totalité de son aide financière et matérielle à Massoud durant les années quatre-vingt, mais elle ne le fit pas. Massoud n'avait rien d'un Gandhi afghan, mais comme le dit Richard Mackenzie, producteur de journal télévisé, qui passa des mois aux côtés des troupes de Massoud : « Il aurait pu représenter une chance pour plus de justice et de démocratie en Afghanistan. »

Massoud lui-même ne dissimulait pas son aversion pour les forces mercenaires fondamentalistes de Ben Laden. « Nous n'avons pas besoin d'Arabes armés sillonnant notre pays, déclara-t-il à Mackenzie. Leur place n'est pas ici. Ils devraient s'en aller. »

Alors que la CIA abandonnait Massoud presque entièrement à son sort, la majorité de l'argent des contribuables américains investi dans cette région du monde bénéficiait au chef de milice afghane le plus extrémiste, un homme qui, selon le journaliste Peter Bergen, « travaillait très étroitement » avec Ben Laden.

Pourquoi ?

Les interventions de la CIA en Afghanistan devenaient de plus en plus compliquées. La CIA avait ouvert une « succursale » au Pakistan, et injectait de grosses sommes d'argent dans l'agence de services secrets pakistanais, réputée pour son manque de transparence, l'ISI[1]. D'une façon particulièrement obtuse et sous les ordres de William Casey, directeur de la CIA sous Ronald Reagan, les agents présents sur place confièrent leurs prérogatives à leurs homologues pakistanais.

« En offrant simplement à l'ISI 3 milliards de dollars provenant de la poche des contribuables américains, écrit Bergen, la CIA conféra aux Pakistanais le contrôle total de la répartition des fonds de la résistance. »

Les Pakistanais jetèrent leur dévolu sur un chef de guerre afghan du nom de Gulbuddin Hekmatyar, islamiste s'il en fut, et partisan de Zia ul-Haq, le dictateur islamiste qui régnait alors sur le Pakistan. Hekmatyar reçut 600 millions de dollars issus des

---

1. Inter-Services Intelligence, « Renseignements inter-services ». *(N.d.T.)*

impôts américains, « selon les estimations les plus modérées », rapporte Bergen.

Reagan et sa cour, aveuglés par leur obsession d'éradiquer la menace soviétique, négligèrent allégrement la menace que pouvaient représenter Hekmatyar et sa clique islamique. Le seigneur de guerre assoiffé de sang ne se battait que très rarement contre les Soviétiques, préférant de loin tuer ses propres compatriotes afghans. Hekmatyar a toujours été un des islamistes les plus radicaux. Il n'avait pas besoin des « encouragements » de la CIA à ce titre, et il est très exagéré de prétendre que la CIA l'ait « créé ». Ce que la CIA, par son alliance avec l'ISI pakistanais, parvint à faire, ce fut de conférer à Hekmatyar une importance politique et une puissance militaire dont il n'aurait jamais pu bénéficier autrement. Dans le contexte afghan de l'époque où, pour schématiser, la victoire appartenait à celui qui avait les plus grosses bombes, l'ISI s'assura en quelque sorte de « l'artillerie » d'Hekmatyar. Que ce fût sous Reagan, ou par la suite sous George Bush, la CIA n'émit jamais la moindre protestation.

Après la fin de la guerre contre les Soviétiques, une coalition de factions afghanes institua un gouvernement dans la capitale, Kaboul. Hekmatyar fut nommé Premier ministre : la plus grande réussite de son mandat fut de bombarder la capitale de son propre pays à l'aide de roquettes, celles-là mêmes qui furent achetées pour lui par l'ISI avec des fonds américains. Ces attaques avaient pour but d'évincer Massoud du pouvoir à Kaboul.

On raconte que les troupes d'Hekmatyar massacrèrent 1 800 personnes dans un village en un seul jour. En 1996, on le tenait responsable de la mort de près de 50 000 de ses compatriotes.

Cette même année, Hekmatyar s'allia avec les talibans lorsqu'ils s'emparèrent du gouvernement, mais se retourna bien vite contre eux, avant toutefois de se joindre à nouveau à leurs troupes lorsque les États-Unis attaquèrent l'Afghanistan au lendemain du 11-Septembre. L'administration Bush avait en fin de compte décidé de laisser à la CIA le soin de régler les ravages causés par le bénéficiaire de sa trop grande largesse. En mai 2002, la CIA lança un missile sur Hekmatyar, mais manqua sa cible. Ce fut un cas de retournement des plus classiques : la CIA tentant d'assassiner un meurtrier qui lui devait le plus gros de son pouvoir. À l'heure où nous rédigeons ces lignes, Hekmatyar reste introuvable, de même que Ben Laden.

Mais il y a plus tristement ironique au sujet de l'aide apportée par la CIA à Hekmatyar : tout au long de leur collaboration, ce dernier combattait non pas contre, mais aux côtés des Russes. L'Association révolutionnaire des femmes d'Afghanistan (RAWA, « Revolutionary Association of Women of Afghanistan ») pense en effet qu'Hekmatyar travailla pour le KGB durant toute la guerre, et qu'une conspiration ourdie par les services de renseignements soviétiques et le seigneur de guerre est à l'origine de l'assassinat de la dirigeante de RAWA en 1987. Les documents rendus publics par un ancien archiviste soviétique en 2002 ne suffirent pas à prouver le lien entre Hekmatyar et le KGB (si l'on en croit le *Washington Post*), mais ils permettent d'affirmer que le KGB avait infiltré de nombreuses milices afghanes dans le but de les dresser les unes contre les autres. Ces luttes intestines, inutile de le préciser, furent un sérieux handicap dans la lutte des Afghans pour recouvrer leur liberté, et Hekmatyar était sans doute le chef de guerre qui aimait le plus éliminer ses propres compatriotes.

Si les affirmations de la RAWA sont exactes, la CIA aurait donc dépensé des sommes colossales afin de semer la zizanie dans cette résistance anti-soviétique qu'elle soutenait ardemment. Telles sont les vicissitudes des opérations secrètes. Parfois, les véritables complots dépassent en folie les théories conspirationnistes.

Quel que soit l'événement dont il est question, le fait qu'une théorie relève de la plus pure paranoïa ne signifie pas forcément qu'elle soit invraisemblable. Si ce livre prouve bien quelque chose, c'est qu'une théorie peut être fausse sans être pour autant absolument folle. Faire le tri entre les théories absurdes relatives au 11-Septembre et les véritables mystères de cette sinistre journée est bien compliqué, pour la bonne raison que les théories absurdes renferment souvent les véritables mystères de ce beau matin où quatre avions de ligne s'écrasèrent respectivement sur les tours jumelles du World Trade Center du Lower Manhattan, le Pentagone, et dans un champ de Pennsylvanie.

Comme il fut rapidement révélé, les avions avaient été détournés. Dix-neuf terroristes arabes avaient pris le contrôle des appareils, de leur équipage et de leurs cockpits, simplement armés de cutters.

Les terroristes tuèrent environ 3 000 personnes, eux y compris. Les attaques du World Trade Center volèrent la vedette le 11 septembre 2001. L'attaque du Pentagone et le crash du vol 93 de l'United Airlines ne furent pas filmés. En revanche, lorsque le second avion s'enfonça dans la tour sud à vitesse maximale, se désintégrant en une gigantesque boule de feu, les caméras télé étaient bel et bien sur place, et retransmirent le drame en direct dans le monde entier.

Ce premier spectacle de destruction fut surpassé en horreur, environ une heure plus tard, par l'image des deux tours du World Trade Center s'écroulant (hautes de près de 400 mètres, elles avaient été l'emblème de Manhattan dans le paysage new-yorkais depuis trente ans), dans un monstrueux panache acide de suie qui obscurcit le ciel automnal de New York. En quelques minutes, la place du World Trade Center se transforma en « Ground Zero », une imposante colline de métal broyé, la tombe de plusieurs milliers de personnes.

Très vite, la responsabilité de ces attaques fut imputée par les services compétents à Ben Laden, ce multimillionnaire exilé d'Arabie saoudite qui, au long de la dernière décennie, avait utilisé son compte en banque bien fourni pour créer et financer un réseau mondial de « saints guerriers de l'islam », Al-Qaïda, dont le but ultime est, selon les déclarations de Ben Laden lui-même, le massacre des Américains et des juifs partout où ils pourront en trouver. Ben Laden a été à l'origine de plusieurs attaques terrestres d'importance durant les années quatre-vingt-dix, la plus sanglante ayant été les attentats à la bombe quasi simultanés des ambassades américaines au Kenya et en Tanzanie, le 7 août 1998.

La position officielle initiale du gouvernement des États-Unis fut d'affirmer qu'ils avaient été complètement pris de court par les attaques du 11-Septembre. Ce fut littéralement comme un coup de canon dans le ciel bleu. Le président Bush fut bien évidemment le premier à délivrer cette version des faits, dès le 16 septembre : « Jamais personne n'avait réfléchi aux moyens de protéger l'Amérique, jamais nous n'aurions cru que ceux qui font le mal n'auraient pas détourné un, mais quatre avions de ligne pour toucher des cibles américaines. Jamais. »

Les deux hommes chargés de la protection intérieure et à l'étranger (le directeur du FBI, Robert Mueller, et le directeur de la CIA, George Tenet) soutinrent chacun de son côté le président. Pour citer Mueller : « Absolument rien ne disait : "Quelque chose va se passer aux États-Unis." »

Tenet émit des protestations similaires, assurant le peuple américain de son ignorance absolue de l'imminence des attaques. Il ajouta même (au cours de son témoignage sous serment devant la Commission sénatoriale sur les renseignements) qu'il ne considérait pas vraiment cette attaque massive et absolument inattendue du territoire américain comme un échec pour les services de renseignements des États-Unis. « L'échec, cela signifie pas de concentration, pas d'attention, pas de discipline », expliqua-t-il.

Toute suspicion raisonnable, ainsi que toute spéculation conspirationniste, prend sa source dans ces déclarations, celles des personnes les mieux placées pour savoir qu'une opération de cette envergure était en cours de préparation. Et ce malgré la diarrhée verbale et fallacieuse derrière laquelle ils tentèrent de cacher leurs véritables responsabilités.

Dès 1998, il y eut des dizaines d'indices, voire plusieurs alertes directes quant à l'organisation d'une attaque de très grande ampleur. En voici quelques exemples, tirés du rapport d'enquête du Congrès américain, publié en septembre 2002 :

• Juin 1998 : les services de renseignements des États-Unis apprennent que Ben Laden est en train de planifier des attaques au cœur du pays, avec Washington et New York pour cibles probables.

• Août 1998 : des agences d'espionnage transmettent au FBI et à la FAA[1] l'information selon laquelle un groupe de terroristes du Moyen-Orient s'apprêterait à embarquer dans un avion chargé d'explosifs dans un pays étranger, dans le but de précipiter l'appareil contre le World Trade Center.

• Décembre 1998 : un rapport sur Ben Laden déclare que le chef terroriste « s'intéresse vivement à une attaque dirigée contre les États-Unis sur leur propre territoire ».

• Mars 2001 : une source informe les services de renseignements des États-Unis qu'un groupe d'hommes de Ben Laden ont prévu une attaque des États-Unis sur leur territoire national pour le mois d'avril de cette même année.

• Juin 2001 : la cellule antiterroriste de la CIA apprend que des collaborateurs-clefs de Ben Laden « se préparent au martyre ».

---

1. Federal Aviation Administration, « Administration fédérale d'aviation ». *(N.d.T.)*

• Août 2001 : les autorités du service d'immigration de Minneapolis ont interpellé et enfermé Zacarias Moussaoui, dont le comportement suspect dans une école de vol de la ville où il prenait des cours poussa des agents du FBI à croire qu'il préparait une attaque terroriste.

• Septembre 2001 : le 10 septembre, la NSA[1] intercepte deux communications dans un pays étranger, au cours desquelles il est fait mention d'une attaque terroriste imminente. Le 12 septembre, les communications sont enfin traduites.

Ce même rapport passe en revue de nombreux autres rapports de services secrets concernant des groupes terroristes qui projetèrent d'utiliser des avions comme bombes volantes en les faisant se crasher sur des bâtiments ou des espaces publics. Dès 1994, des islamistes algériens détournèrent un avion de ligne français en déclarant qu'ils allaient le lancer contre la tour Eiffel. En 1995, Ramzi Yousef, alors en cavale (il avait participé au premier attentat à la bombe du World Trade Center, en 1993), fut interpellé en possession de plans visant à faire s'écraser un avion sur le quartier général de la CIA. En 2000, un homme révéla au FBI qu'il s'était

1. National Security Agency, « Agence de sécurité nationale ». (N.d.T.)

entraîné au Pakistan aux côtés de membres d'Al-Qaïda, et qu'il était censé participer au détournement d'un 747 avec d'autres terroristes, parmi lesquels des pilotes entraînés. En août 2001, les services secrets américains découvrirent que Ben Laden était à l'origine de l'attaque de l'ambassade des États-Unis à Nairobi (Kenya), attaque qui consistait également en un crash d'avion.

« Malgré ces rapports, commente le rapport d'enquête du Congrès, les services secrets n'ont produit aucune estimation spécifique des probabilités de l'utilisation terroriste d'avions comme armes. »

(Note intéressante : un plan alternatif consistait à bombarder des airs l'ambassade de Nairobi. Lorsque Al-Qaïda attaqua un complexe hôtelier israélien au Kenya en novembre 2002, les bombes furent apparemment lancées d'un avion survolant la cible. Il y fut associé un camion-suicide chargé d'explosifs lancé contre le complexe.)

Il y eut d'autres avertissements. Le « mémo de Phoenix », datant du 10 juillet 2001, émanait, comme son nom l'indique, du bureau du FBI de la ville de Phoenix (Arizona). Il alertait le quartier général du FBI que de nombreux hommes originaires du Moyen-Orient, ayant de possibles liens avec des groupes terroristes, suivaient des cours dans des écoles de pilotage américaines. Si le FBI avait tenu compte de ce mémo, les aspirants terroristes aériens qui, effectivement, prenaient bien des cours dans des écoles de pilotage aux États-Unis, auraient certainement été appréhendés, et le complot du 11-Septembre aurait été déjoué.

Bush lui-même, quoique par l'entremise de son porte-parole Ari Fleischer, avoua plus tard que sa déclaration (citée précédemment) était fausse. Fleischer révéla que Bush avait bel et bien reçu en août 2001 un rapport l'informant que les acolytes de Ben Laden avaient décidé de prendre pour cible de leurs détournements aériens les États-Unis. Selon Fleischer, lorsque le président Bush déclara que « jamais nous n'aurions cru que ceux qui font le mal n'auraient pas détourné un, mais quatre avions de ligne pour toucher des cibles américaines », il voulait dire que jamais il n'avait reçu d'avertissements explicites d'une attaque suicide prévue le 11 septembre, avertissements qui bien évidemment n'existèrent jamais.

Mais il y a peut-être plus choquant : à en croire un article de l'*Independent* de Londres (paru le 7 septembre 2002), les États-Unis auraient reçu un avertissement des talibans, alors au pouvoir en Afghanistan. Le ministre des Affaires étrangères du régime apprit en juillet 2001 que Ben Laden projetait une attaque-surprise massive sur le territoire américain, et craignait que les représailles des États-Unis à la suite de cette attaque ne les menacent directement (la suite des événements lui donna pleinement raison). Selon l'article britannique, il chargea un émissaire de transmettre cette information aux autorités américaines présentes au Pakistan, ainsi qu'aux représentants des Nations unies basés à Kaboul. Le messager plaida pour une « Tempête de la montagne » visant à chasser Al-Qaïda d'Afghanistan, à l'image de l'opération « Tempête du désert » qui avait permit de chasser les forces irakiennes du Koweit dix ans auparavant.

Selon l'*Independent*, les représentants des États-Unis et des Nations unies méprisèrent cet appel à une offensive américaine mais, pire encore, ils négligèrent purement et simplement l'avertissement d'une attaque terroriste de grande ampleur. Cette information ne fut jamais relayée.

Les États-Unis furent si désespérément pris au dépourvu par cette attaque à laquelle ils avaient de bonnes raisons de s'attendre que lorsqu'elle survint, même la dernière ligne de défense du territoire national se montra incapable de réagir à temps. Les avions de chasse de la NORAD[1] ne répondirent à la nouvelle d'incidents aériens que d'une façon extrêmement routinière. La NORAD a admis elle-même avoir reçu de la FAA l'information selon laquelle le vol 11 de l'American Airlines

---

1. North American Aerospace Defense Command, « Commandement de la défense aérienne nord-américaine ». *(N.d.T.)*

(le premier avion à percuter le World Trade Center) avait été détourné à 8 h 40, et n'avoir dépêché des chasseurs qu'à 8 h 46. À cette heure, la trajectoire de l'appareil avait déjà rencontré la première tour.

À 8 h 52, les chasseurs F-15 (dont la vitesse de pointe peut s'élever jusqu'à plus de 3 000 km/h) décollèrent enfin de la Otis Air National Guard Base, dans le Massachusetts, avec pour cap (toujours selon la NORAD) la ville de New York, située à près de 247 kilomètres. Même s'ils n'avaient atteint que la moitié de leur vitesse maximale, ils auraient été en mesure d'arriver à destination quelques précieux instants avant que le vol 175 de la United Airlines ne s'écrase dans la seconde tour, en direct, sous les yeux horrifiés de centaines de milliers de téléspectateurs.

Pour incroyable que cela puisse paraître, les chasseurs n'arrivèrent que huit minutes plus tard, à 9 h 10. Si la version de la NORAD est vraie, les avions se seraient déplacés à la médiocre vitesse de 820 km/h.

« Je me suis longtemps demandé ce qui aurait pu se passer si nous avions été alertés à temps, déclara l'un des pilotes de chasse, interviewé un an plus tard par la BBC. Je ne sais pas ce que nous aurions pu faire pour aller plus vite. »

Voler plus rapidement, par exemple ?

Un officier de la NORAD déclara de son côté que les chasseurs avaient volé à une vitesse comprise entre 1 770 et 1 930 km/h. À cette vitesse, ils auraient atteint le World Trade Center plus d'une minute et demie avant l'impact du second avion, un temps amplement suffisant pour détourner la trajectoire de l'avion-suicide, voire le faire exploser en plein ciel.

La raison pour laquelle les chasseurs n'ont pas atteint le World Trade Center à temps pour sauver la seconde tour, ou du moins pour avoir une chance de la sauver, reste mystérieuse. De deux choses l'une : ou bien ils volaient à une vitesse étrangement faible, ou bien le timing de la NORAD est erroné. Et si l'on retient cette deuxième solution, cela signifie que le délai entre la réception de l'information et le décollage effectif des chasseurs fut incroyablement long. Aucune de ces possibilités n'est vraiment réjouissante.

Qui plus est, ces deux scénarios n'expliquent pas pourquoi la FAA attendit près de dix-huit minutes avant d'informer la NORAD. La première notification que quelque chose allait de travers sur le vol 11 (en fait, le vol cessa d'émettre son signal de balise) fut transmise à 8 h 20.

Les chasseurs auraient eu encore moins de temps pour intercepter l'avion qui percuta le Pentagone, le vol 77 de la United Airlines. La NORAD fut informée de son détournement à 9 h 24 et fit décoller ses chasseurs six minutes plus tard. L'avion de ligne s'écrasa sur le Pentagone sept minutes après. Les chasseurs avaient pris pour premier cap New York, avant de se détourner en direction de Washington, qu'ils n'atteignirent qu'au terme de *douze minutes supplémentaires.*

L'échec fut donc total : les services secrets échouèrent avant le 11-Septembre, et la défense nationale échoua durant le déroulement des événements. Cette double débâcle fut-elle le résultat de l'incompétence, de la négligence, de la lourdeur de la bureaucratie ? Ou la véritable raison serait-elle plus sombre et plus profonde ? Les conspirationnistes n'hésitent pas à nous dire que ces échecs à répétition sont tout sauf des échecs : on aurait *délibérément* permis que ces attaques aient lieu !

Mais pourquoi ? À chaque conspirationniste sa réponse. En voici quelques-unes :

• L'administration Bush avait besoin d'une excuse pour lancer une opération militaire de grande ampleur en Afghanistan afin d'y sécuriser la construction d'un gazoduc.

• Le gouvernement de droite voulait un prétexte pour dépouiller les Américains de leurs libertés de citoyens, sous prétexte de « sécurité nationale ».

• Les États-Unis ont pour projet le génocide des populations arabes et musulmanes, au profit de leur allié, l'État d'Israël, et les vraies fausses attaques terroristes fournissent la meilleure raison qui soit de mener à bien leur projet.

• Pire encore, c'est Israël qui perpétra ces attentats.

Telles sont les spéculations, exemptes de toute preuve, qui nourrirent l'écrasante majorité des théories conspirationnistes du 11-Septembre. La dernière est sans conteste la plus dangereuse, et représente le point de jonction entre la remise en question des événements du 11-Septembre et le révisionnisme antisémite. Quelle que soit l'opinion que l'on ait à propos du conflit israélo-palestinien, l'idée qu'Israël ait pu commettre un acte de guerre ouverte contre son principal allié relève tout simplement de la plus parfaite absurdité. Mais d'où vient cette théorie sans queue ni tête ? Peu après ce jour funeste, une histoire circula sur Internet, selon laquelle, nul ne sait comment, 4 000 Israéliens furent avertis de ne pas aller travailler au World Trade Center le 11 septembre. Ils se seraient faits porter pâles.

L'histoire des « 4 000 Israéliens » devint instantanément une légende urbaine, qui se répandit comme une traînée de poudre sur le Net tout entier. Rien d'étonnant à ce que cette histoire soit absolument fausse : le simple fait d'affirmer que 4 000 Israéliens travaillaient au World Trade Center suffit à infirmer cette théorie ahurissante.

Cette légende vit le jour sur une chaîne de télévision libanaise, six jours après les attentats, et fut reprise par un journal pakistanais, ainsi que par le journal russe *Pravda* (qui devait par la suite s'excuser d'avoir contribué à sa diffusion), qui s'en firent l'écho par le biais de leurs sites Internet respectifs. L'histoire fut vite relayée par la presse internationale. Le nombre étrangement très précis de « 4 000 » provient probablement des déclarations du consulat israélien dans l'immédiat après-11-Septembre, dans lesquelles ils exprimèrent leurs inquiétudes quant au sort et à la sécurité des 4 000 ressortissants de leur pays travaillant dans la ville de New York (et non uniquement dans le World Trade Center).

Une autre légende mettant en cause Israël veut que cinq Israéliens furent emprisonnés le 11 septembre pour « attitude suspecte ». Ces cinq hommes auraient été aperçus sur un toit voisin de la catastrophe, riant, se félicitant et filmant l'événement avec une caméra, pendant l'effondrement des deux tours.

Les faits sont en réalité bien différents : cinq jeunes Israéliens furent arrêtés ce jour-là, mais sur le pont George-Washington. Pas de toit, pas plus que de rires ou de caméra. Ils passèrent deux semaines en détention, dans des conditions qui, d'après leurs dires, tinrent du « cauchemar ». Ils furent battus par la police et menacés de mort. Un jour, un garde ouvrit la porte de la cellule où l'un d'eux était enfermé afin de faire entrer d'autres prisonniers, auxquels il dit que l'Israélien était « le terroriste responsable de l'attentat du World Trade Center ». Les prisonniers se ruèrent alors dans la cellule, ivres de colère.

Les cinq Israéliens furent appréhendés sur le simple motif que le FBI, d'après ses propres déclarations, avait été averti qu'un individu conduisant une camionnette blanche s'apprêtait à faire exploser le pont George-Washington. Les cinq jeunes gens traversaient justement le pont dans une camionnette blanche. Leur seul tort fut de se trouver au mauvais endroit, au mauvais moment, dans le mauvais véhicule.

Lorsque l'organisation de Lyndon LaRouche [1] se laissa charmer par ces théories anti-Israël, ce fut un véritable choc. Fin août 2002, l'organe de presse de LaRouche, *Executive Intelligence Review*, « rapporta » que le Premier ministre israélien Ariel Sharon était « sur le point de lancer de façon déguisée une attaque de type 11-Septembre ayant pour cible les États-Unis, afin de pousser le président George W. Bush à déclarer la guerre à l'Irak ».

Aucun des scénarios anti-Israël, même de façon vaguement plausible, n'évoque la question du manque d'intérêt flagrant pour Israël de mettre en

---

1. Économiste et homme politique américain, réputé pour sa vision conspirationniste du monde. *(N.d.T.)*

scène une attaque terroriste de grande ampleur contre son meilleur et plus puissant allié. Même si le but recherché avait été de faire porter le chapeau à des hommes de paille arabes, les risques de l'opération n'auraient-ils pas été plus importants que sa réussite ? Ces Israéliens, malgré leur supposée malfaisance, n'auraient-ils pas craint d'être démasqués ? N'auraient-ils pas été assez malins pour comprendre que si leur responsabilité avait été prouvée (ce qui n'aurait pas manqué d'être le cas s'ils avaient pris soin d'avertir leurs 4 000 concitoyens travaillant à New York, ou si cinq de leurs « agents » avaient été assez imprudents pour rire des flammes du World Trade Center, au vu de tous, sur un toit non loin de là), cela aurait signifié la fin de l'État d'Israël, une fois pour toutes ?

Bien que ces théories anti-Israël, aussi répugnantes que dangereuses, soient très faciles à démonter, elles ne sont pas les seules à figurer dans le chapitre des thèses abracadabrantes : d'autres théories visant à faire d'Oussama ben Laden un simple pantin sont aussi insensées.

En aboutissant à la conclusion qu'il n'y avait « pas de pilotes suicides » à bord d'aucun des quatre avions détournés, Carol A. Valentine – qui porte le titre de « curatrice » du Musée électronique de l'holocauste de Waco (un site Internet dédié aux théories conspirationnistes concernant le siège de la secte davidienne à Waco en 1993) – commence par dresser la liste de simples faits concernant le Northrop Grumman Global Hawk, un avion furtif sans passagers, véritable chef-d'œuvre de la technologie de pointe dont « l'envergure est identique à celle d'un Boeing 737 ». (Bien qu'il soit vrai que le Global Hawk a une envergure similaire à celle d'un 737 – ; en fait, elle est même un peu plus grande –, il s'agit cependant d'un aéronef aux dimensions considérablement plus modestes, long de moins de la moitié d'un 737, et encore plus petit qu'un 757 ou un 767, les deux modèles d'avion qui furent détournés et précipités contre leurs cibles le 11-Septembre.)

Valentine cite également quelques articles déclarant qu'il est possible, avec la technologie dont nous disposons, de piloter et de faire se poser un avion de ligne à distance, de la terre par exemple. À la suite du 11-Septembre, le président Bush émit un vibrant appel pour équiper chaque avion commercial d'un tel dispositif, ce qui permettrait aux contrôleurs aériens de « redétourner » un appareil détourné, et contrecarrer ainsi les plans de terroristes résolus à faire s'écraser des avions contre des édifices. Une merveilleuse idée, si ce n'est que le coût de l'installation de ce dispositif sur l'ensemble de la flotte commerciale s'élèverait à près de 300 milliards de dollars.

« D'un point de vue technique, écrit Valentine, on pourrait envoyer un avion "suicide" dans un bâtiment sans pilote suicide. La technologie robotique et le radioguidage ont fait de tels progrès qu'un Global Hawk, à haute altitude (au même titre qu'un missile de croisière Tomahawk, à basse altitude), peut être guidé jusqu'au point de collision avec sa cible sans la présence d'un pilote kamikaze dans le cockpit. »

Tout est dit, et l'on peut se permettre, sur la base de ces éléments, de poser des questions suspicieuses, lieu commun de la rhétorique conspirationniste qui a l'avantage de permettre de se passer de preuves. Exemple avec un autre site Internet (« la démolition du World Trade Center et la prétendue guerre contre le terrorisme ») : « Puisqu'il est possible de contrôler un Boeing 757 ou 767 à distance, se pourrait-il que les avions qui percutèrent les tours jumelles et le Pentagone (en supposant qu'il y ait eu plus d'un avion) aient été contrôlés à distance ? »

Dans cette ligne de pensée, on pourrait même envisager que les tours jumelles aient été également ment démolies par téléguidage.

« Un rayon laser a-t-il provoqué l'effondrement du World Trade Center ? » se demande Christopher Bollyn sur le site Internet de l'*American Free Press*. « *American Free Press* a interviewé un physicien allemand convaincu qu'une arme à rayon laser, utilisant une technologie infrarouge qui vit le jour en Union soviétique, a pu provoquer l'effondrement des tours », écrit-il.

Et même si ce n'est pas aussi sympa qu'un rayon laser, pourquoi pas des bombes ? Quelqu'un se serait introduit dans le World Trade Center où il aurait déposé des explosifs à des emplacements stratégiques. Les deux tours auraient été victimes d'une « démolition planifiée ».

À en croire Peter Meyer, expert de la théorie des bombes, « les tours jumelles furent conçues pour résister à l'impact d'un Boeing 707, qui est quasiment identique à un Boeing 767 ». Si ce n'est qu'un 767 est bien plus gros et pèse quelque 22 tonnes de plus qu'un 707. Et qui plus est, personne ne peut vraiment savoir si les tours jumelles auraient pu résister à l'impact d'un 707, pour la simple et bonne raison qu'aucun 707 ne les a jamais heurtées. Les architectes ont bien évidemment fait de leur mieux, mais la technologie dont ils disposaient trente ans auparavant ne leur permettait pas d'évaluer avec certitude quels ravages les édifices seraient susceptibles de subir sans s'écrouler. Ces mêmes architectes, du reste, ont reconnu que s'ils avaient bénéficié au milieu des années soixante des connaissances qu'ils détiennent aujourd'hui, ils auraient pu éviter l'effondrement des tours.

Au-delà du fait que la théorie des bombes défie le bon sens, et sans invoquer le rasoir d'Occam (principe de raisonnement selon lequel plus une théorie est simple, plus elle a de chances d'être vraie), il faut se demander pourquoi les conspirateurs n'ont pas fait exploser les bombes du World Trade Center aussitôt après l'impact des avions. L'attentat n'en aurait-il pas été que plus dramatique, entraînant la mort de 30 000 personnes, plutôt que ce bilan minable de 3 000 disparus ? Inversement, si les « méchants » n'avaient pour but que de détruire les deux tours en infligeant des pertes humaines minimales, pourquoi ne pas avoir attendu une heure supplémentaire, afin de permettre à tous de sortir des bâtiments ?

Et tant qu'on y est, pourquoi s'embêter à faire s'écraser des avions dans les tours ? Pourquoi ne pas se contenter de les détruire à distance ? Rien n'empêche par la suite de désigner des « terroristes arabes » comme boucs émissaires, si l'on y tient absolument.

Thierry Meyssan, auteur du best-seller français *L'Effroyable Imposture* (aux États-Unis, *« 911 : The Big Lie »*[1]), apporte une contribution toute particulière à la théorie des bombes. Dans son deuxième livre, *Pentagate*, il apporte des « preuves documentées » à sa thèse, qui consiste tout bonnement à prétendre que le Pentagone a été lui aussi victime de bombes, et non d'un avion l'ayant pris pour cible, et que du reste aucun avion ne s'est écrasé

---

1. « 11-Septembre : le grand mensonge ». *(N.d.T.)*

sur un de ses côtés ! Le fait que son ouvrage se soit autant vendu est à nos yeux plus mystérieux encore que ce qui arriva au Pentagone, qui fut, désolé pour Meyssan, simplement percuté de plein fouet par un Boeing 757-200 lancé à plus de 560 kilomètres à l'heure, comme le confirmèrent des dizaines de témoins. Nous ne parlons pas ici de témoins qui auraient cru assister à l'attentat, plusieurs pâtés de maisons plus loin, type de témoins que Meyssan semble affectionner pour étayer ses propos. Nous parlons de témoins qui se trouvaient en face du Pentagone, et virent un avion de plus de 115 tonnes pour 54 mètres de longueur, s'écraser dans l'un des bâtiments les plus facilement reconnaissables des États-Unis.

Meyssan présente une série de photos supposées infirmer l'explication « officielle ». En commentant l'une de ses photos, où l'on peut voir le mur extérieur de l'aile du Pentagone qui reçut l'impact, complètement anéanti, il demande (notez bien la technique de la question suspicieuse) : « Peut-on expliquer qu'un Boeing 757-200 n'ait endommagé que l'extérieur du Pentagone ? »

La réponse est simple : il n'a pas endommagé que l'extérieur. La totalité de la structure a été touchée, l'avion ayant pénétré profondément dans le Pentagone, explosant en une gigantesque boule de feu. Cela explique l'absence de débris d'avion sur la pelouse du Pentagone, preuve hautement comprometante du point de vue de Meyssan. Le problème, c'est qu'on peut voir ces débris sur certaines photos, bien entendu pas celles que Meyssan choisit de montrer, du moins sur son site Internet. La majeure partie de la structure de l'avion pénétra dans le bâtiment et, très logiquement, fut anéantie dans l'explosion, tout comme ce fut le cas des avions du World Trade Center.

Meyssan et ses apôtres internautes s'attendent apparemment à ce que lorsqu'un 757 s'écrase à grande vitesse dans un édifice à la structure de béton et d'acier renforcée, de grandes portions de l'avion demeurent intactes. Il suffit pourtant de regarder des photos d'à peu près n'importe quelle catastrophe aérienne (parmi lesquelles il est assez difficile de trouver un cas de collision avec un bâtiment) pour se rendre compte que ce type d'accident ne laisse presque aucun débris ! Tout ce qui reste d'un avion et, très tragiquement, de ses passagers, n'est rien d'autre qu'un tas informe de décombres. Si l'on ajoute à cela les débris d'un édifice, on n'aboutit qu'à un tas plus gros encore, mais tout aussi informe. La facilité qu'ont certaines personnes de tirer des conclusions péremptoires en regardant la photographie d'un désastre aussi important que l'attentat du Pentagone est absolument sidérante.

Bien qu'il soit assez difficile de comprendre les motivations profondes d'un « journaliste » tel que

Meyssan, ses idées sont dans un sens très proche du déni de l'Holocauste, ou, pour être plus charitable, du refus obstiné partagé par certains conspirationnistes de croire que Neil Armstrong a réellement posé le pied sur la Lune (autant qu'on sache, Meyssan ne soutient ni l'une ni l'autre de ces thèses). Et cela vaut également pour tous les autres partisans de la théorie des bombes. En l'absence de preuves étayant une thèse, il est très facile (et très malhonnête) de nier en bloc la validité de toute preuve étayant la version « officielle ».

Par exemple, lorsqu'un internaute demande à Peter Meyer sur son propre site d'expliquer pourquoi des débris d'avion ont été photographiés sur la pelouse du Pentagone si en réalité aucun avion n'a touché le bâtiment, la réponse est tristement prévisible : « Ces "preuves" paraissent en effet pour le moins suspectes. On ne saurait exclure la possibilité que ces éléments aient été disposés sur les lieux précisément pour servir de "preuves" à la thèse selon laquelle le Pentagone aurait été percuté par un avion de l'American Airlines. »

Le fait que le vol 77 ait été détourné, que des passagers aient passé des coups de téléphone portable dans l'avion et décrit en direct ce qui se passait, que des dizaines de personnes n'ayant apparemment aucune raison de mentir aient déclaré avoir vu un avion prendre pour cible le Pentagone avant de s'y écraser, tout cela ne signifie rien. L'avion n'a jamais été détourné. C'était un drone dirigé à distance. Les communications téléphoniques furent créées de toutes pièces. Les témoins ont peut-être vu quelque chose, mais ils ne savent pas quoi au juste. Les témoins ont tort.

Cette fuite forcenée de toute forme de rationalité est tout simplement exaspérante, pour user d'un euphémisme poli. Lorsque ces avions de ligne s'écrasèrent sur le World Trade Center et que les deux tours s'écroulèrent, elles anéantirent entre autres dans leur sinistre sillage une tradition américaine parmi les plus nobles, celle de la suspicion intelligente. Les plus grandes théories conspirationnistes, que nous nous efforçons de présenter au grand public depuis des années, sont autant de quêtes de la vérité, poursuivie par des esprits refusant de suivre le courant de l'opinion majoritaire, même lorsque celle-ci semble la seule échappatoire. Au lendemain du 11-Septembre, les théories conspirationnistes devinrent une nouvelle forme d'orthodoxie. La nécessité d'une authentique quête de la vérité se cachant derrière le plus grand traumatisme de l'histoire contemporaine des États-Unis a été oubliée, négligée. De notre point de vue, c'est là une des nombreuses tragédies du 11-Septembre.

Sources principales

Usama bin Laden's al-Qaida : Profile of a Terrorist Network, Yonah Alexander et Michael S. Swetnam, Transnational Publishers, 2001.

Guerre sainte internationale, Peter Bergen, Gallimard, 2002.

Bin Laden : The Man Who Declared War on America, Yossef Bodansky, Prima Publishing, 2001.

CIA et Jihad, 1950-2002. Contre l'URSS, une désastreuse alliance, John K. Cooley, Autrement, 2002.

Les Dollars de la terreur, les États-Unis et les islamistes, Richard Labeviere, Grasset, 1999.

The New Jackals : Ramzi Youssef, Osama bin Laden and the Future of Terrorism, Simon Reeve, Northeastern University Press, 1999.

Guerre et mondialisation : la vérité derrière le 11-Septembre, Michel Chossudovsky, Écosociété (Montréal), 2005.

www.illuminati.com

Internet est le lieu idéal pour trouver des vidéos indiscrètes, consommer de la pornographie, acheter des Rolex de contrefaçon, ou envisager un agrandissement du pénis. On a également vanté son supposé statut de forum international où les connaissances seraient brassées et échangées librement. Mais cette promesse d'un meilleur des mondes pixelisé « d'information globalisée » ne cacherait-elle pas sournoisement le véritable objectif du Web, la réalisation d'un complot bien plus sinistre que, mettons, le pourrissage quotidien de votre boîte e-mail par des chaînes de solidarité ?

Nous savons tous que les origines du Net remontent à un projet du ministère de la Défense des États-Unis conçu en 1969. En cas de guerre nucléaire, même après le début des pluies acides baignant le no man's land stérile que serait devenue l'Amérique du Nord, les militaires devaient s'assurer que leurs généraux cinq étoiles puissent encore s'envoyer des e-mails. Bien sûr, personne en 1969 n'avait la moindre idée de ce que pouvait être un « e-mail ». Mais c'est cette raison même qui poussa les fonctionnaires dévoués de la Défense à l'inventer. À l'époque, il avait pour dénomination « message texte ASCII à localisation IP », une périphrase qui nécessitait un entraînement intensif pour être correctement prononcée. Une nouvelle question se posa alors : comment transmettre ces petites merveilles d'un endroit à un autre ? Internet, bien sûr ! Qu'ils s'empressèrent également d'inventer.

Les érudits paranoïaques convaincus de comprendre tout mieux que tout le monde considèrent ces origines militaires comme hautement significatives. De leur point de vue, bien supérieur à celui du commun des mortels (nous tous, en somme), ils y voient la preuve d'une conspiration bien plus ambitieuse qu'un pitoyable complot visant à s'immiscer dans votre vie privée en classifiant et analysant vos achats par carte bancaire.

Ces visionnaires congénitaux voient clair à travers l'écran de fumée, au-delà duquel ils distinguent une organisation maléfique composée d'hommes d'affaires, de politiciens et d'intellectuels manipulant les événements dans le but d'asseoir un gouvernement mondial et totalitaire. Cette cabale a un nom. Non, ce n'est pas « AOL ». Ce sont les Illuminati[1].

---

1. Voir notre chapitre « Les Illuminati : esprits éclairés ou illuminés ? »

Rien que de très normal à ce que ces Illuminati, à l'origine d'une foultitude de projets historiques (parmi lesquels on peut citer le siècle des Lumières, la démocratie moderne, et la confection de chapeaux maçonniques rigolos), soient également à l'origine d'Internet, n'est-ce pas ? Mais à quelles fins l'auraient-ils créé ?

Selon quelques-unes des raisons traditionnellement alléguées, les Illuminati auraient inventé Internet pour :

• Vous espionner : « Leur but, prétend Anthony Hilder, qui a produit des centaines de cassettes vidéo et audio exposant les détails du complot Illuminati, n'est pas le simple contrôle mais l'obtention d'informations par le biais de tous, sachant que les gens s'impliqueront dans le monde entier et fourniront de leur plein gré des informations qui pourront être utilisées contre eux. »

• Obscurcir votre jugement par des pensées impures : la croyance selon laquelle les Illuminati auraient recours au symbolisme sexuel comme instrument de manipulation mentale est l'un des éléments-clefs de cette théorie conspirationniste. Et Internet est comme chacun sait truffé de symboles sexuels (souvent en *streaming* vidéo). Même le sigle imprononçable « WWW » est un symbole sexuel. Quoi, vous osez en douter ? Voyez plutôt : « W est la vingt-troisième lettre de l'alphabet », fait remarquer Robert Sterling, dont le site www.konformist.com est l'une des sources de référencement des théories conspirationnistes les plus connues sur le Web. « Et 23 fois 3 égalent, bien entendu, 69. Donc, vous voyez bien le truc psycho-sexuel qui se cache derrière les trois W. »

• Saluer Satan : les Illuminati seraient-ils des agents de l'Antéchrist, la « Bête » prophétisée dans l'Apocalypse qui entraînera la fin du monde ? Certains conspirationnistes pensent que le « nombre de la Bête », 666, est utilisé par les Illuminati comme symbole de leur véritable objectif. Aaron Johnson, un conspirationniste du sud de la Californie qui se présente lui-même comme un « patriote », pense que les lettres « WWW » n'ont pas d'autre sens : « La lettre W est la sixième lettre de l'alphabet hébreu, dit-il. Les trois W, World Wide Web, ça n'est pas par hasard. Pour moi, ça signifie 666. C'est un autre élément de l'infrastructure du contrôle de la société et du monde. »

(Il est important de noter que dans l'alphabet hébreu, chaque lettre a une valeur numérique. « Vav », un équivalent assez proche de la lettre « W », représente effectivement le chiffre 6. Mais selon la numérologie hébraïque, « Vav-Vav-Vav » ne correspond pas à « 666 », mais à « 18 » (6 + 6 + 6), la valeur numérique du mot *chai*, qui signifie « vie ». En fait, 18 est l'un des nombres « porte-bonheur » les plus importants de la tradition judaïque.)

Au chapitre des théories démonologiques, n'oublions pas la personnalité démoniaque préférée de tous les internautes : Bill Gates. « Prophecy Central » est un site de chrétiens fondamentalistes qui présente le seigneur de tous les *geeks* comme un élément moteur des événements censés aboutir à la fin des temps, à en croire la Bible. Comme nous en avertit l'organisation de surveillance de Bill Gates (Bill Gates Watch), le Maître de Microsoft est « très intéressant pour toute personne étudiant les prophéties et considérant qu'un réseau informatique mondial serait à même de rendre possible, probablement dans un futur proche, la dictature économique de l'Antéchrist. NOTE : Nous ne visons que l'aspect symbolique, pas la personne en question. » En d'autres termes, bien que Bill Gates ne soit pas nécessairement le fils de Satan, il est d'une certaine façon un instrument prophétique du Mal et, en tant que tel, doit être étroitement surveillé.

L'une des personnes dévouées à cette surveillance de tous les jours pointe sur son site Internet un passage très pertinent de l'ouvrage de Jack B. Otto, *World War III : Coming Soon to Your Neighborhood.* Selon Otto, « les francs-maçons savent qu'Albert Pike était par ailleurs le chef des Palladistes, une autre société semi-secrète qui vénérait Satan ». Et quel est le nom du projet de sécurisation des données de Microsoft ? Palladium. Pour citer cette fois le webmaster : « Les puissants timbrés aiment tellement ce genre de symbolique qu'il n'y aurait rien de choquant à croire que Bill Gates (un puissant) aurait nommé son logiciel "Palladium" en référence à Albert Pike. Quel nom plus approprié pourrait-on trouver pour un système qui semble destiné à imposer un contrôle absolu sur toute personne possédant un ordinateur lui permettant de surfer sur Internet ou d'envoyer et recevoir des e-mails, une fois que leur "Nouvel Ordre mondial" sera institué ? »

Mais nous nous éloignons du sujet, à l'instar des personnes qui exposent leurs opinions sur les forums d'Internet (contrôlés par les Illuminati, cela va de soi). Revenons plutôt à la liste des raisons qui poussent les Illuminati à s'accaparer le contrôle du Web. Robert Sterling (cité plus haut) a écrit un article intitulé « Le Web et le Pentagone », dans lequel il compare l'invention d'Internet et l'utilisation que les militaires firent du LSD dans le cadre d'expériences sur le contrôle psychique (l'existence de ces expériences a été dûment avérée par des documents officiels et des témoignages). « Se pourrait-il que le Web soit le frère siamois du LSD ? » demande Sterling dans cet article (publié dans le deuxième tome de l'anthologie *Cyberculture Counterconspiracy*). « La clef de voûte d'un projet occultiste visant à détruire l'ordre existant pour en établir un nouveau ? »

Sterling a manifestement bien moins en commun avec des « patriotes » conspirationnistes tels que Johnson (précédemment cité) qu'avec feu Timothy Leary, gourou du psychédélisme convaincu qu'Internet, comme le LSD avant lui, pouvait être une force libératrice, et non pas oppressive, malgré le fait que sa création ait pu être motivée initialement par une conspiration.

« Bien sûr, Internet est une conspiration, dit Sterling. C'est une invention du ministère de la Défense. Mais encore une fois, le ministère de la Défense a également inventé le LSD. Cela ne signifie pas pour autant qu'il ne faille pas en prendre. »

Sources principales

Le site de l'organisation de surveillance de Bill Gates : www.bible-prophecy.com/pcu8.htm#article
Le site de la Freeworld Alliance : www.freeworldalliance.com
Le site « Konformist » : www.konformist.com et www.konformist.com/hilder/nwotapes.htm

L'article « The Web and the Pentagon » de Robert Sterling, réédité dans *Cyberculture Counterconspiracy*, tome 2, édition par Kenn Thomas, Book Tree, 2000.

DANS LA COLLECTION « DOCUMENTS »
AU CHERCHE MIDI

Mis en pages par DV Arts Graphiques à Chartres
Imprimé en France par la Société Nouvelle Firmin-Didot à Mesnil-sur-l'Estrée
Dépôt légal : mai 2007
N° d'édition : 832 – N° d'impression : 85116
ISBN 978-2-7491-0832-2